KU-341-017

KURT TUCHOLSKY, am 9. Januar 1890 in Berlin geboren, war einer der bedeutendsten deutschen Satiriker und Gesellschaftskritiker im ersten Drittel unseres Jahrhunderts. Nach dem Absturz Deutschlands in die Barbarei nahm er sich am 21. Dezember 1935 in seiner letzten Exilstation Hindås / Schweden das Leben.

Von Kurt Tucholsky erschienen: «Schloß Gripsholm» (rororo Nr. 4) auch als «Literatur für KopfHörer», gelesen von Uwe Friedrichsen, «Zwischen Gestern und Morgen» (rororo Nr. 50), «Panter, Tiger und Co.» (rororo Nr. 131), auch als «Literatur für KopfHörer», gelesen von Uwe Friedrichsen, «Rheinsberg» (rororo Nr. 261), «Ein Pyrenäenbuch» (rororo Nr. 474), «Politische Briefe» (rororo Nr. 1183), «Politische Justiz» (rororo Nr. 1336), «Politische Texte» (rororo Nr. 1444), «Schnipsel» (rororo Nr. 1669), «Deutschland, Deutschland über alles» (rororo Nr. 4611), «Briefe aus dem Schweigen, 1934–1935» (rororo Nr. 5410), «Literaturkritik» (rororo Nr. 5548), «Die Q-Tagebücher, 1934–1935» (rororo Nr. 5604), «Wenn die Igel in der Abendstunde» (rororo Nr. 5658), «Sprache ist eine Waffe» (rororo Nr. 12490), «Gesammelte Werke», eine 10bändige rororo-Taschenbuch-Kassette (1975), «Deutsches Tempo», Gesammelte Werke Ergänzungsband 1911-1932 (rororo Nr. 12573), «Unser ungelebtes Leben, Briefe an Mary» (rororo Nr. 12752), «Gedichte» (rororo Nr. 13210), «Ausgewählte Werke», 2 Bde. (Rowohlt 1965), «Briefe an eine Katholikin 1929–1931» (Rowohlt 1969), «Wo kommen die Löcher im Käse her» (Rowohlt 1981), «Das Kurt-Tucholsky-Chanson-Buch» (Rowohlt 1983), Tucholsky-Lesebuch «Wir Negativen» (Rowohlt 1988), «Republik wider Willen», Gesammelte Werke Ergänzungsband 2, 1911–1932 (Rowohlt 1989), «Ich kann nicht schreiben, ohne zu lügen, Briefe 1913–1935» (Rowohlt 1989), «Sudelbuch» (Rowohlt 1993).

In der Reihe «rowohlts monographien» erschien als Band 31 eine Darstellung Kurt Tucholskys mit Selbstzeugnissen und Bilddokumenten von Klaus-Peter Schulz. Von Fritz J. Raddatz wurde 1989 der Essay «Tucholsky. Ein Pseudonym» (rororo 13371) publiziert. Von Michael Hepp liegt im Rowohlt Verlag vor: «Kurt Tucholsky. Biographische Annäherungen» (1993).

PETER BÖTHIG, geboren 1958, studierte Germanistik in Berlin und Pittsburgh, USA. Er hat mehrere Bücher zur DDR-Literatur herausgegeben und Lyrik aus dem Amerikanischen übersetzt. Steit 1993 leitet er die Kurt-Tucholsky-Gedenkstätte in Rheinsberg.

KURT TUCHOLSKY

Jelänger-jelieber

Von der Liebe, den Frauen und anderen Entzückungen

Herausgegeben von Peter Böthig

ROWOHLT

Veröffentlicht im Rowohlt Taschenbuch Verlag GmbH,
Reinbek bei Hamburg, August 1995

Quellenangabe siehe Seite 313
Aufführungsrechte: Rowohlt Theater Verlag, Reinbek bei Hamburg

Umschlaggestaltung Barbara Hanke
Satz Stempel Garamond (Linotronic 500)
Gesamtherstellung Clausen & Bosse, Leck
Printed in Germany
1290-ISBN 3 499 13613 9

VORWORT

> Man möchte immer eine große Lange,
> und dann bekommt man eine kleine Dicke –
> C'est la vie –!

C'est la vie. Nicht nur mit Entzückungen, auch mit Enttäuschungen hat es der Liebende zu tun. Für Kurt Tucholsky hat das Thema eine ebenso heitere wie dramatische Seite. Auch hier erweist er sich als einer der vielseitigsten Künstler und zerrissensten Menschen der deutschen Literatur unseres Jahrhunderts. Tucholsky liebte die Frauen – und sie liebten ihn. Er war weder ein durchtrainierter Beau, noch bot er Sicherheit. Doch hatte er einen fröhlichen Charakter und einen klaren Verstand. Es gab keinen Zug an ihm, der verschwiemelt oder verquast gewesen wäre. Wie bei seinen anderen Themen – Krieg und Militär, dem Scheitern der Republik an der reaktionären Justiz und ihrer eigenen Mutlosigkeit, dem Mißbrauch der Sprache durch aufgeblähte Wichtigtuer – schrieb er auch über die Liebe und die Frauen mit ebenso leichter wie spitzer Feder. Der genaue Ton, die treffende Bildhaftigkeit und die präzise Darstellung kennzeichnen seine Prosa wie seine Lyrik. In den «Briefen an eine Katholikin» notiert er einmal, ihn reize an der Darstellung erotischer Details «die artistische Schwierigkeit, es *dennoch* zu sagen, obgleich es so schwer ist». Tucholsky ist Artist und bekennt sich auch dazu, doch ein Artist, der, auch wenn er auf hohem Seil tanzt, nie die Bodenhaftung verliert.

Seine Lieder und Prosaarbeiten zum Thema sind weit verschlungener, verzwickter und widersprüchlicher als die bekannten, oft ein wenig schlüpfrig aufgefaßten «Igel in der Abendstunde...» oder «In Japan ist alles so klein...». Oft genug lauern in den Liedern und Gedichten kleine böse Fallen und Traurigkeiten. Doch welche Melodie er auch anschlägt, er kennt die Töne und weiß, wie man sie zum Schwingen bringt. Von der feinen Anspielung bis zum deftig Sinnlichen – gelegentlich bis zur Frivolität – reichte Tucholskys Palette.

Von «Rheinsberg» bis «Gripsholm», vom erotischen Couplet bis zum Kampf gegen prüde Zensoren – die Körper mit ihren Leidenschaften, auch ihren Närrischkeiten, haben den Dichter ein Leben lang beschäftigt. Er selbst war Erotomane genug, um weder die feinsten noch die derbsten Regungen der Lächerlichkeit oder der Würdelosigkeit preiszugeben. Stets ging es Tucholsky um die *literarische* Darstellung der Erotik. Dafür setzte er sein ganzes künstlerisches Fingerspitzengefühl ein. Gleich weit vom Pathos wie von der Trivialität gelingen ihm bemerkenswerte Balanceakte. Zur Liebe gehört das Spiel, das die Gefühle verdeckt und zugleich freilegt. Der Charme vieler Texte liegt darin, daß es Tucholsky gelingt, dieses Spiel ins Literarische zu übertragen. Dem genauen Leser wird ein tiefer Widerspalt in etlichen Texten dennoch nicht verborgen bleiben: Das Gefühl, daß auch im köstlichsten Vergnügen noch der Funke der Resignation nicht erlischt; die frühe Melancholie, die beizeiten schon das Scheitern sieht, die einkalkuliert, daß Glück und Liebe nicht von Dauer sind. «Wir wissen um alle Heimlichkeiten der Körper», schreibt er schon 1912 in «Rheinsberg. Ein Bilderbuch für Verliebte». Die Liebe und die Körper sind ihm keine mystischen Geheimnisse, die er mit großer Geste lüftet. Doch «auch um alle der Seele?» fragt er weiter und umkreist die Frage – ohne endgültige Antwort – in unzähligen Facetten in seinen Liedern, Gedichten und Texten.

Was seine Texte über die Liebe von allen Formen literarischer Verklärung unterscheidet, ist seine Art von lakonischem Realismus. Der Erzähler der «ménage à trois» in der Gripsholmer Sommergeschichte vergißt nicht zu erwähnen, daß er nachher unter die Dusche kriecht, und der Sänger nicht, daß er seine «Malwine» eben «frisch gewaschen und rasiert» zu verführen gedenkt. Tucholsky ist in seinen Auffassungen über die Liebe ganz und gar urban, ein Großstädter, der das Tingeltangel der Nachtbars ebenso kennt wie die Bilder der Traumfabriken und die Sehnsüchte der Konsumenten. Er spielte auf der Klaviatur – er belieferte und kritisierte die Kulturindustrie gleichzeitig, manchmal im selben

Text. «Die Frau» – ob die schöne Frau Kaludrigkeit, das Tauentzienmädel oder die «Prinzessin» aus Gripsholm, die Frau war für den Mann Tucholsky sowohl das immer reizende Spielzeug wie auch der Fluchtpunkt seiner Sehnsüchte, doch ebenso seiner Ängste. Er hat sie verehrt und besungen – und sie sich gelegentlich vom Leibe gehalten. Wir kennen den Schriftsteller in den Zeugnissen seiner Zeitgenossen als *homme à femmes*. Und wir kennen ihn in den Briefen an Mary als verzweifelt Liebenden. In diesen Briefen ist oft von der Sauberkeit des Begehrens die Rede – eine Sauberkeit, mit der sich in der Liebe alles tun und in der Literatur alles sagen läßt. Den Dichter Kurt Tucholsky zeichnet auch jene souveräne Lauterkeit aus, für die die spießig-moralisierenden Kriterien über «Heikles» oder «Pornografisches» keine Geltung haben. Seine nicht zuletzt auf sich selbst bezogene Ironie, ob heiter oder bissig, garantierte ihm, stets fair zu bleiben. Die Frauen in Tucholskys Texten sind mal Geliebte, mal Mutter, mal «Klagemauer». Gewiß sind die Bilder, die er entwirft, nicht frei von männlicher Projektion - wie auch anders. Doch waren ihm die Grenzen seiner Perspektiven aus Herkunft und Gewordensein zur Genüge bekannt. Und fast immer bewahrt ihn seine Menschenkenntnis vor Grobgeschnitztem – und sein Ideal, die Frau als «Kamerad», kann auch vor kritischem Blick bestehen. Er folgte sehr nüchtern und genau den mannigfaltigen Schattierungen des Erotischen, und deshalb ist die Liebe für ihn kein Arkadien, keine abgeschiedene Insel der Seligen. Eher schon ist sie eine unendliche Befragung der Menschen gegenseitig. Eine Befragung, die die eigenen Obsessionen und Abgründe wie die hellen und dunklen Seiten des anderen einschließt. Und nie ist sie sich selber genug. «Halb erotisch – halb politisch!» stand schon 1919 auf der Bauchbinde des Buches «Fromme Gesänge» von Theobald Tiger.

Über den zeitlebens verehrten Schopenhauer hatte er schon 1918 an Mary geschrieben: «Er weiß alles: von den Menschen und von den Frauen und von den Leidenschaften und von der Welt und von der Kunst und alles, alles.» Auch

Tucholsky wußte vieles oder gar alles über Glanz und Elend der Liebe – er hat sie immer wieder beschrieben, mal frotzelnd und mal resigniert, doch immer mit der Gelassenheit desjenigen, der seine Erfahrungen gemacht hat.

Daß der Text oft klüger ist als der Autor, ist eine Binsenweisheit. Wir, die wir über Tucholskys Leben inzwischen recht gut Bescheid wissen, kennen auch seine realen Nöte, sein lebenslanges Ringen um die eine geliebte Frau und sein Ausweichen vor ihr. Wir kennen aus den Briefen an Mary sein Werben, sein Begehren, aber auch seine Skrupel, seine Flucht. Mit ungeheurer Klarsicht beschreibt er noch im berühmten Abschiedsbrief das Dilemma seiner Liebe: die Angst. Den «Gleichgewichtspunkt von Selbstbewahrung und Selbsthingabe» hatte Julius Bab als das geheime Zentrum der Erzählung «Rheinsberg» ausgemacht – Tucholsky bestätigt dies in einem Brief. Diesen Gleichgewichtspunkt jedoch zu halten ist ihm in der Literatur oft grandios, im realen Leben aber – nicht gelungen.

«Leben heißt auswählen», hat Tucholsky gesagt – und eine Auswahl treffen heißt zunächst, die Kunst des Weglassens zu üben. Weglassen mußte der Herausgeber – es wäre ein anderes Buch geworden – Ausschnitte aus den Briefen und eine Vielzahl von Essays, in denen sich Tucholsky etwa mit der Filmzensur, dem Berliner Nachtleben, dem Nackttanz oder den sexuellen Nöten Strafgefangener auseinandersetzt. Ebenfalls nicht aufgenommen wurden Texte, in denen Erotisches in deutlich parabelhafter Weise durchgespielt wird, oder solche, die Erotisches eher als Sprungbrett oder Metapher für ganz andere Reflexionen nutzen. Ferner mußte auf Rezensionen und auf (manch philologisch interessante) thematische Doppelungen verzichtet werden, wenn sie zu eng beieinanderlagen. Eine Auswahl von Tucholsky über die Liebe ohne «Schloß Gripsholm» ist schwer vorstellbar. Aus Platzgründen mußte leider ein Ausschnitt als Leseanregung genügen. Bis heute bekannt sind vor allem seine frivolen und verspielten Chansons, zu seiner Zeit regelrechte «Hits», und die Lottchen-Geschichten. Der Leser wird also Vertrautes in dieser Ausgabe wiederfinden, aber auch Entlegenes oder weniger Wahrgenommenes. Bislang unveröffentlichte Texte vorzustellen soll allerdings der Oldenburger Gesamtausgabe vorbehalten bleiben. Lediglich drei Chansons aus den Programmheften der «Schall & Rauch»-Bühne von 1919/20, die in den 80er Jahren in der DDR als Reprint erschienen, sind vielleicht auch für manchen Tucholsky-Kenner eine kleine Entdeckung. «Adagio con brio» ist im ersten Register der Werkausgabe aufgeführt, wurde aber nicht in die Auswahl aufgenommen, «Entree mit einer alten Jungfer» und «Die Insel» fehlen in den Registern der Werkausgabe; alle drei Gedichte finden sich jedoch in der Gedichte-Gesamtausgabe. Tja. Tucholsky und die Liebe zum Detail. «Ssälawih –!»

Peter Böthig

1

Daß man nicht alle haben kann

MIKROKOSMOS

Daß man nicht alle haben kann –!
Wie gerne möcht ich Ernestinen
als Schemel ihrer Lüste dienen!
Und warum macht mir Magdalene,
wenn ich sie frage, eine Szene?
Von jener Lotte ganz zu schweigen –
ich tät mich ihr als Halbgott zeigen.
Doch bin ich schließlich 1 Stück Mann...
Daß man nicht alle haben kann –!

Gewiß: das Spiel ist etwas alt.
Ich weiß, daß zwischen Spree und Elbe
das Dramolet ja stets dasselbe,
doch denk ich alle, alle Male:
entfern ich diesmal nur die Schale –
was wird sich deinen Blicken zeigen?
Was ist, wenn diese Lippen schweigen?
Nur diesmal greifts mich mit Gewalt...
(Gewiß: das Spiel ist etwas alt.)

Daß man nicht alle haben kann –!
Das läßt sich zeitlich auch nicht machen...
Ich weiß, jetzt wirst du wieder lachen!
Ich komm doch stets nach den Exzessen
zu dir und kann dich nicht vergessen.
So gib mir denn nach langem Wandern
die Summe aller jener andern.
Sei du die Welt für einen Mann...
weil er nicht alle haben kann.

SEHNSUCHT NACH DER SEHNSUCHT

Erst wollte ich mich dir in Keuschheit nahn.
Die Kette schmolz.
Ich bin doch schließlich, schließlich auch ein Mann,
und nicht von Holz.

Der Mai ist da. Der Vogel Pirol pfeift.
Es geht was um.
Und wer sich dies und wer sich das verkneift,
der ist schön dumm.

Denn mit der Seelenfreundschaft – liebste Frau,
hier dies Gedicht
zeigt mir und Ihnen treffend und genau:
es geht ja nicht.

Es geht nicht, wenn die linde Luft weht und
die Amsel singt –
wir brauchen alle einen roten Mund,
der uns beschwingt.

Wir brauchen alle etwas, das das Blut
rasch vorwärtstreibt –
es dichtet sich doch noch einmal so gut,
wenn man beweibt.

Doch heller noch tönt meiner Leier Klang,
wenn du versagst,
was ich entbehrte öde Jahre lang –
wenn du nicht magst.

So süß ist keine Liebesmelodie,
so frisch kein Bad,
so freundlich keine kleine Brust wie die,
die man nicht hat.

Die Wirklichkeit hat es noch nie gekonnt,
weil sie nichts hält.
Und strahlend überschleiert mir dein Blond
die ganze Welt.

REVUE

Die Weiblichkeit laß ich vorüberrauschen,
Hilfsdienstmutwillige, Mädchen aus dem Land –
dem Schlagen eines Herzens will ich lauschen –
gib mir die Hand!

Ja, aber wer? In diesen Menschenwogen
schwimmt Tinchen, klein und blond, hin und zurück;
zwei linke Beine, zart und sanft gebogen –
ist das das Glück?

Wie ists mit der? Gott Eros schwingt die Fackel,
die Stangen des Korsettes krachen leis,
die kurzen Finger ziehn an einem Dackel –
ein Traum in Weiß.

Und du? in schwärzlich finstrer Reife,
die Schatten dunkler Stunden im Gesicht?
Es gibt noch Menschen, die besitzen Seife –
du hamsterst nicht.

Ich denk an die gnädige Frau.
In Terzen
pfeif ich vergnügt: Mimi! von diesen Kindern keins.
Mein Wappenspruch, du Wort nach meinem Herzen:
Jeder seins!

DER LENZ IST DA!

Das Lenzsymptom zeigt sich zuerst beim Hunde,
dann im Kalender und dann in der Luft,
und endlich hüllt auch Fräulein Adelgunde
sich in die frischgewaschene Frühlingskluft.

Ach ja, der Mensch! Was will er nur vom Lenze?
Ist er denn nicht das ganze Jahr in Brunst?
Doch seine Triebe kennen keine Grenze –
dies Uhrwerk hat der liebe Gott verhunzt.

Der Vorgang ist in jedem Jahr derselbe:
man schwelgt, wo man nur züchtig beten sollt,
und man zerdrückt dem Heiligtum das gelbe
geblümte Kleid – ja, hat das Gott gewollt?

Die ganze Fauna treibt es immer wieder:
Da ist ein Spitz und eine Pudelmaid –
die feine Dame senkt die Augenlider,
der Arbeitsmann hingegen scheint voll Neid.

Durch rauh Gebrüll läßt sich das Paar nicht stören,
ein Fußtritt trifft den armen Romeo –
mich deucht, hier sollten zwei sich nicht gehören...
Und das geht alle, alle Jahre so.

Komm, Mutter, reich mir meine Mandoline,
stell mir den Kaffee auf den Küchentritt. –
Schon dröhnt mein Baß: Sabine, bine, bine...
Was will man tun? Man macht es schließlich mit.

MIT DEM WEININGER

Ja... da sitzt du nun auf deines Bettes Rand,
und die ganze Welt scheint dir nicht recht...
Lies du nur in diesem Lederband,
und erkenne dein Geschlecht!

Wisse, Mädchen, du bist null und nichtig!
bist ein subsidiäres Komplement!
Tier und Fraue! Nimmst nur eines wichtig:
Wenn der Phallus dich erkennt.

Mit den sieben heimelichen Lüsten
beugst du klaren, starken Mannessinn –:
Wenn wir nur nicht mit euch schlafen müßten!

Er hat recht, und *du* bist Königin!

LÖWENLIEBE

Als jener junge Schopenhauer
am Löwenkäfig in Berlin
der gelben Bestien Wollustschauer
sah stumm an sich vorüberziehn –

da schrieb er auf in seinem Büchlein:
«Der Löwe liebt nicht vehement.
Von Leidenschaft auch nicht ein Rüchlein;
der schwächste Mann scheint mehr potent.»

Der Wille macht noch kein Gewitter.
Gehirn! Gehirn gehört dazu.
Der muskelstarke Eisenritter
gibt bald im Frauenschoße Ruh.

Du liebst. Und heller noch und wacher
fühlt dein Gehirn und denkt dein Herz.
Der Phallus ist ein Lustentfacher –
du stehst und schwingst dich höhenwärts.

Du liebst. Wo andre dumpf versinken,
bist du erst tausendfältig da.
Laß mich aus tausend Quellen trinken,
du Venus Reflectoria –!

Berauscht – ach, daß ichs stets so bliebe!
Getönt, bewußt, erhöht, gestuft –
Das ist die wahre Löwenliebe.
Du Raubtierfrau!
Es ruft. Es ruft.

FIGURINEN

Einmal war ich schon achtzig Jahr.
Einmal, in einem frühern Leben,
da hat sich dieses mit mir begeben
– und ich hatte ganz weißes Haar –:

Ich saß im Lehnstuhl, nett und beschaulich,
so kurz nach Tisch – mir war so verdaulich.
Blumen im Fenster. Im Käfig ein Matz –
auf dem Tisch eine Tasse mit Untersatz…
Und vor mir hielt ich auf meinen Knien
ein Album mit alten Fotografien.
Und ich machte ein Nickerchen…
Aus ihren Rahmen
stiegen alle vergessenen Damen.

Eine war schlank und klug und bescheiden.
Die mochte ich immer am liebsten leiden.
Sie roch die Menschen. Sie wußte immer,
betrat sie nur einmal ein fremdes Zimmer:
die hat mit dem da – der ist stolz –
und die Frau ist falsch wie Galgenholz.
Sie erschien, wie im Nebel. Ich streckte die Hand
nach ihr – sie wich zurück und verschwand.
Und sie sprach, indes ich, wie verträumt,
ein Glück zerschlagen – ein Leben versäumt:
«Ich war die Nettste.»

Dann kam eine, ein dickes Paket,
wie es gar nicht in eine Corsage geht.
Wenn sie mir abends entgegenschwoll,
war das ganze Schlafzimmer voll.
Und sie trank zwischendurch –
wie ich das noch seh! –

immer Kaffee und Selter und Tee.
Und während in weichen Kissen sie kraucht,
hat das Schwergewicht mir entgegengehaucht:
«Ich war die Fettste.»

Dann hört ich im Halbschlaf einen Chor
von Stimmen. Und eine tauchte empor,
ein ganz junges Mädchen, weiß, ganz weich –
sie zögerte, näherte sich nicht gleich …
Ich streckte nach ihr die Arme aus.
Sie stand vor einem Schifferhaus.
Und man hörte das Meer …
Und sie sprach und sah mich dabei an –
und da weinte ich alter Mann –:
«Ich war die Letzte.»

Auf den Tod zu warten, ist so schwer …
Aber das ist schon lange her.

Glänzt der Fudschijama nachts in Weiß,
bete ich zu Brahma heimlich leis.
Mond scheint auf die Dächer
still in Ruh,
unser bunter Fächer winkt ihm zu.
Raschle, raschle, seidner Kimono,
deine kleine Geisha sehnt sich so,
sie sitzt im Teehaus
und steckt den kleinen Zeh raus.
Singe, singe, kleiner Kolibri,
ferner Liebster, warum kommst du nie?
Kleine Geisha sehnt sich so,
und sie wäre wieder froh,
bist du bei ihr unterm Kimono!
Kleine Geisha sehnt sich so,
und sie wäre wieder froh,
bist du bei ihr unterm Kimono!

Horch, wie durch die Bäume Windhauch lief,
Liebster, und ich träume opiumtief.
Yoshiwaras Gassen warten dein,
wollen dich nicht lassen, komm, sei mein!
Raschle, raschle, seidner Kimono,
deine kleine Geisha sehnt sich so,
in Nagasaki nach ihren Kerls in Khaki.
Singe, singe, kleiner Kolibri,
ferner Liebster, warum kommst du nie?
Kleine Geisha sehnt sich so,
und sie wäre wieder froh,
bist du bei ihr unterm Kimono!
Kleine Geisha sehnt sich so,
und sie wäre wieder froh,
bist du bei ihr unterm Kimono!

CHANSON

Aus dem Ungarischen
Gesungen von Gussy Holl

Da ist ein Land – ein ganz kleines Land –
  Japan heißt es mit Namen.
Zierlich die Häuser und zierlich der Strand,
  zierlich die Liliputdamen.
Bäume so groß wie Radieschen im Mai.
Turm der Pagode so hoch wie ein Ei –
    Hügel und Berg
    klein wie ein Zwerg.
Trippeln die zarten Gestalten im Moos,
fragt man sich: Was mag das sein?
  In Europa ist alles so groß, so groß –
  und in Japan ist alles so klein!

Da sitzt die Geisha. Ihr Haar glänzt wie Lack.
  Leise duftet die Rose.
Vor ihr steht plaudernd im strahlenden Tag
  kräftig der junge Matrose.
Und er erzählt diesem seidenen Kind
davon, wie groß seine Landsleute sind.
    Straße und Saal
    pyramidal.
Sieh, und die Kleine wundert sich bloß –
denkt sich: Wie mag das wohl sein?
  In Europa ist alles so groß, so groß –
  und in Japan ist alles so klein!

Da ist ein Wald – ein ganz kleiner Wald –
  abendlich dämmern die Stunden.
Horch! wie das Vogelgezwitscher verhallt...
  Geisha und er sind verschwunden.

Abendland – Morgenland – Mund an Mund –
welch ein natürlicher Völkerschaftsbund!
Tauber, der girrt,
Schwalbe, die flirrt.
Und eine Geisha streichelt das Moos,
in den Augen ein Flämmchen, ein Schein …
In Europa ist alles so groß, so groß –
und in Japan ist alles so klein.

ABSCHIED VON DER JUNGGESELLENZEIT

Agathe, wackel nicht mehr mit dem Busen!
Die letzten roten Astern trag herbei!
Laß die Verführungskünste bunter Blusen,
das Zwinkern laß, den kleinen Wollustschrei...
Nicht mehr für dich foxtrotten meine Musen –
vorbei – vorbei...
Es schminkt sich ab der Junggesellenmime:
Leb wohl! Ich nehm mir eine Legitime!

Leb, Magdalene, wohl! Du konntest packen,
wenn du mich mochtest, bis ich grün und blau.
Geliebtendämmerung. Der Mond der weißen Backen
verdämmert sacht. Jetzt hab ich eine Frau.
Leb, Lotte, wohl! Dein kleiner fester Nacken
ruht itzt in einem andern Liebesbau...
Lebt alle wohl! Muß ich von Kindern lesen:
Ich schwör sie ab. Ich bin es nicht gewesen.

Nur eine bleibt mir noch in Ehezeiten –
in dieser Hinsicht ist die Gattin blind –,
Dein denk ich noch in allen Landespleiten:
Germania! gutes, dickes, dummes Kind!
Wir lieben uns und maulen und wir streiten
und sind uns doch au fond recht wohlgesinnt...
Schlaf nicht bei den Soldaten! Das setzt Hiebe!
Komm, bleib bei uns! Du meine alte Liebe –!

HERZ MIT EINEM SPRUNG

Im Gesicht und auch in Sachsen,
wo die Meise piepst,
laß ich den Bart mir wachsen,
weil du mich nicht mehr liebst.
  Susala und dusala –
weil du mich nicht mehr liebst.

Wir waren beide einsam;
auch ich als Woll-Agent.
Die Herzen waren gemeinsam,
die Kassen waren getrennt.
  Susala und dusala –
Da bin ich konsequent.

Du sagst, du wärst im Training
wohl für ein Fecht-Turnier.
Du aßest gar nicht wenig
und hattst nie Geld bei dir...
  Susala und dusala –
Man ist ja Kavalier.

Du aßest frisch und munter
nicht ohne jeden Charme
die Karte rauf und runter,
die Küche kalt und warm.
  Susala und dusala –
dem Kellner schmerzt der Arm.

Ich fand das übertrieben
und sah dich zornig an.
Ein Mann will gratis lieben,
sonst ist er gar kein Mann!

Ich kann dich nicht vergessen.
Noch heut könnt ich dich maln.
Du hast zuviel gegessen...
Wer kann denn das bezahln!
    Susala und dusala –
Wer kann denn das bezahln!

Ums Kinn starrn mir die Stoppeln.
Mein Vollbart ist noch jung.
So fahr ich nun nach Oppeln
zu ner Versteigerung...
    Doch mein Herz,
    doch mein Herz,
doch mein Herz
                    hat einen Sprung –!

AN IHR

Auf deinen großen Füßen, Ernestine,
Führ ich dich auf den neuen Presseball.
Du trägst Chiffon. Und deine Fragemiene
Ist überall.

«Der Legationsrat?» – Ja, mein Kind, das ist er!
«Du, der da? mit dem goldenen Knopflochdings?
Und, Theo, wo – wo tanzt der Herr Minister?»
Von rechts nach links.

«Und, Theo, ist die Presse auch am Platze?»
Ja, Kind – der Handelsteil steht am Balkon.
Da die Kritik – und der da, mit der Glatze –
Das ist das Feuilleton!

«Und, Theo, kommt der Film auch in den Saal hin?
Auf Conny Veidt bin ich ganz scharf und toll!»
Pst! Nicht so laut! Da steht doch die Gemahlin:
Die Gussy Holl!

So muß ich dich belehren, liebste Perle.
Und voller Neugier siehst du manch Gesicht.
Ach, Ernestine – du liebst lauter fremde Kerle –
Nur Tigern nicht.

FRAUEN VON FREUNDEN

Frauen von Freunden zerstören die Freundschaft.
Schüchtern erst besetzen sie einen Teil des Freundes,
nisten sich in ihm ein,
warten,
beobachten,
und nehmen scheinbar teil am Freundesbund.

Dies Stück des Freundes hat uns nie gehört –
wir merken nichts.
Aber bald ändert sich das:
Sie nehmen einen Hausflügel nach dem andern,
dringen tiefer ein,
haben bald den ganzen Freund.

Der ist verändert; es ist, als schäme er sich seiner Freundschaft.
So, wie er sich früher der Liebe vor uns geschämt hat,
schämt er sich jetzt der Freundschaft vor ihr.
Er gehört uns nicht mehr.
Sie steht nicht zwischen uns – sie hat ihn weggezogen.

Er ist nicht mehr unser Freund:
er ist ihr Mann.

Eine leise Verletzlichkeit bleibt übrig.
Traurig blicken wir ihm nach.

Die im Bett behält immer recht.

CHEF-EROTIK

«...und dann hat er seine Sekretärin geheiratet.» Wie war das möglich?

Als sie eintrat, war da gar nicht viel – er hat das Mädchen kaum beachtet. Die Diktatprobe hatte genügt, die Referenzen waren gut, das Äußere soweit in Ordnung. Auch spielte damals die Geschichte mit Lux, und er hatte, weiß Gott, den Kopf viel zu voll... «Überhaupt: im eignen Betrieb! nicht rühr an. Lieber Freund, wenn ich das will, kündige ich und fange mit ihr später was an! Ja.»

Monatelang war gar nichts; sie tat ihre Arbeit, und er ließ sie tun. Die Gewöhnung kam leise und langsam, ganz langsam. Sie war eben immer da, gehörte zum Mobiliar; er merkte das erst, als sie einmal krank wurde, da fehlte etwas im Büro, er konnte gar nicht arbeiten in diesen Tagen. Das fremde Gesicht der Aushilfe... Er atmete auf, als sie wieder da war.

Er genierte sich gar nicht vor ihr; er telefonierte in ihrer Gegenwart mit Hanna und auch einmal mit dem dänischen Fratz, der sich damals in Berlin herumtrieb. Sie hörte das unbewegten Angesichts mit an. Das war kein Stenogramm; das ging sie nichts an. Aber auf dem Schreibtisch war noch ihre Hand spürbar, die Art, wie sie die Bleistifte hinlegte, die sanfte Ruhe, mit der sie ihn betreute. Und dann wuchsen die Leiber zusammen. Es lag einfach daran, daß er eines Tages sachte zu fühlen begann, wie auch dies eine Frau sei, mit Beinen, Schenkeln, Oberarmen. Es war nichts, aber auch nichts als die Nähe, die ihn dahin trieb; man kann doch nicht dauernd neben einer Quelle liegen, ohne zum mindesten einmal spielerisch die Hand ins Wasser zu stecken. Durst? Nein. Es war nur eine Quelle da.

Befehlen können und hier nicht befehlen können – Chef sein und Mann zugleich wie jeder andre; und eben die leise Gewöhnung. Der spielerische Drang vergessener Knabenjahre war wieder da, den andern einmal genau anzusehen, aus Neugier, aus Langerweile, aus tastendem Grauen... Einmal,

einmal muß man hinter jeden geschlossenen Vorhang sehen – das ist so. Und dann hat sie nicht mehr losgelassen.

Übrigens hat er es nicht bereut; sie ist ihm eine gute Hausfrau und brave Mutter der Kinder geworden, und in der großen Stadt im Rheinland weiß niemand von der Vergangenheit der Frau, die ja nicht schändet, nein, gewiß nicht, aber es ist ja nicht nötig, nicht wahr? Die Ehe blieb, was sie war: eine Arbeitsgemeinschaft. Ohne die bunten Stunden, aber mit viel Erinnerungen an gemeinsame Kampagnen, Geschäftsfreunde, Betriebskollegen ... Er hat jetzt einen Sekretär. Oder eine kleine käsige Tipse.

Zur Zeit ist er sterblich verliebt in die Inhaberin eines Modesalons: ein strammes Prachtweib mit weißen, blitzenden Zähnen und schwarz angelacktem Haar. Im allgemeinen ist er seiner Frau treu, ein anständiger Familienvater. Aber er ist so neugierig; er möchte nur ein einziges Mal den Vorhang jenes Kleides heben. Und das wird er ja wohl auch tun.

MALWINE

Ich habe mich deinetwegen
gewaschen und rasiert.
Ich wollte mich zu dir legen
  mit einem Viertelchen,
  mit einem Achtelchen –
    Malwine!
Doch du hast dich geziert.

Der Kuckuck hat geschrien
auf deiner Schwarzwalduhr.
Ich lag vor deinen Knien:
  «Gib mir ein Viertelchen!
  Gib mir ein Achtelchen!
    Malwine!
Ein kleines Stückchen nur!»

Dein Bräutigam war prosaisch.
Demselben hat gefehlt,
dieweilen er mosaisch,
  ein kleines Viertelchen,
  ein kleines Achtelchen...
das hätt dich sehr gequält!

Du hast mir nichts gegeben
und sahst mich prüfend an.
Das, was du brauchst im Leben,
  sei nicht ein Viertelchen,
  und nicht ein Achtelchen...
das sei ein ganzer Mann –!

Mich hat das tief betroffen.
Dein Blick hat mich gefragt...
Ich ließ die Frage offen
und habe nichts gesagt.

Daß wir uns nicht besaßen!
So aalglatt war mein Kinn.
Nun irr ich durch die Straßen...
Malwine –!
und weine vor mich hin.

Da sprach der Landrat unter Stöhnen:
«Könnten Sie sich an meinen Körper gewöhnen?»
Und es sagte ihm Frau Kaludrigkeit:
«Vielleicht. Vielleicht.
Mit der Zeit... mit der Zeit...»
Und der Landrat begann allnächtlich im Schlafe
laut zu sprechen und wurde ihr Schklafe.
und er war ihr hörig und sah alle Zeit
Frau Kaludrigkeit – Frau Kaludrigkeit!

Und obgleich der Landrat zum Zentrum gehörte,
wars eine Schande, wie daß er röhrte;
er schlich der Kaludrigkeit ums Haus...
Die hieß so – und sah ganz anders aus:
Ihre Mutter hatte es einst in Brasilien
mit einem Herrn der bessern Familien.
Sie war ein Halbblut, ein Viertelblut:
nußbraun, kreolisch; es stand ihr sehr gut.
Und der Landrat balzte: Wann ist es soweit?
Frau Kaludrigkeit – Frau Kaludrigkeit!

Und eines Abends im Monat September
war das Halbblut müde von seinem Gebember
und zog sich aus. Und sagte: «Ich bin...»
und legte sich herrlich nußbraun hin.
Der Landrat dachte, ihn träfe der Schlag!
Unvorbereitet fand ihn der Tag.
Nie hätt er gehofft, es noch zu erreichen.
Und er ging hin und tat desgleichen.

Pause

Sie lag auf den Armen und atmete kaum.
Ihr Pyjama flammte, ein bunter Traum.
Er glaubte, ihren Herzschlag zu spüren.
Er wagte sie nicht mehr zu berühren...
Er sann, der Landrat. Was war das, soeben?
Sie hatte ihm alles und nichts gegeben.
Und obgleich der Landrat vom Zentrum war,
wurde ihm plötzlich eines klar:
Er war nicht der Mann für dieses Wesen.
Sie war ein Buch. Er konnt es nicht lesen.
Was dann zwischen Liebenden vor sich geht,
ist eine leere Formalität.

Und so lernte der Mann in Minutenfrist,
daß nicht jede Erfüllung Erfüllung ist.
Und belästigte nie mehr seit dieser Zeit
die schöne Frau Inez Kaludrigkeit.

AN DIE BERLINERIN

Mädchen, kein Casanova
hätte dir je imponiert.
Glaubst du vielleicht, was ein doofer
Schwärmer von dir phantasiert?
Sänge mit wogenden Nüstern
Romeo, liebesbesiegt,
würdest du leise flüstern:
«Woll mit die Pauke jepiekt –?»
Willst du romantische Feste,
gehst du beis Kino hin...
Du bist doch Mutterns Beste,
du, die Berlinerin –!

Venus der Spree – wie so fleißig
liebst du, wie pünktlich dabei!
Zieren bis zwölf Uhr dreißig,
Küssen bis nachts um zwei.
Alles erledigst du fachlich,
bleibst noch im Liebesschwur
ordentlich, sauber und sachlich:
Lebende Registratur!
Wie dich sein Arm auch preßte:
gibst dich nur her und nicht hin.
Bist ja doch Mutterns Beste,
du, die Berlinerin –!

Wochentags führst du ja gerne
Nadel und Lineal.
Sonntags leuchten die Sterne
preußisch-sentimental.
Denkst du der Maulwurfstola,
die dir dein Freund spendiert?
Leuchtendes Vorbild der Pola!

Wackle wie sie geziert.
Älter wirst du. Die Reste
gehn mit den Jahren dahin.
Laß die mondäne Geste!
    Bist ja doch Mutterns Beste,
    du süße Berlinerin –!

SAUFLIED, GANZ ALLEIN

Manchmal denke ich an dich,
das bekommt mich aber nich,
denn am nächsten Tag bin ich so müde.
Du mein holdes Glasgespinst!
Ob du dich auf mich besinnst?
Morgens warst du immer etwas prüde.
Darum trink ich auf dein Wohl
dieses Gläschen Alkohol!
Braun und blond – rot und schwarz –
Ihr sollt leben!

Deine Augen sind so blau
ganz genau wie bei der Frau
Erna Margot Glyn-Kaliski.
Rheinwein ist nicht stark genug,
darum nehm ich einen Schluck
von dem guten, gelben Whisky.
Und ich trinke auf dein Wohl
dieses Fläschchen Alikol –
Braun und Blond – Black and White...
Ihr sollt leben!

Tinte, Rotwein und Odol
sind drei Flüssigkeiten wohl –
davon kann der Mensch schon leben.
So schön kannst du gar nicht sein,
wie in meinen Träumerein –
so viel kannst du gar nicht geben.
Allerschönste Frauenzier,
ach, wie gut, daß du nicht hier!
Oh, wie gerne man doch küßt,
wenn die Frau wo anders ist...!
Und darum trink ich auf dein Wohl!

Nun ade, mein Land Tirol!
Lebe wohl! Nur in den kleinen Räuschen
lebe wohl, kann die Frau uns nicht enttäuschen!
Lebe wohl! Lebe wohl!
Lebe wohl, mein Land Tirol –!

LIED ANS GRAMMOPHON

Nobody's fault but your own
Brunswick A 8284

Nun komm, du kleine Nähmaschine,
und näh mir leise einen vor.
Ich denke dann an Clementine,
du säuselst sanft mir in das Ohr.
Und am Klavier ohn Unterlaß
führt rhythmisch einer seinen Baß.

Sie war so lieb. Kocht ich im Grimme,
weil jemand mich geärgert hat,
dann sang sie mit der Oberstimme
und strich mir alle Falten glatt.
Und am Klavier ohn Unterlaß
führt rhythmisch einer seinen Baß.
pom-pom

Still sah sie immer nach dem Rechten
und stellte alles so nett hin.
Am Tage kühl. Doch in den Nächten
zerschmolz die süße Schaffnerin.
pom-pom

O spiele weiter!
Clementine
war ihrerseits aus Brandenburch.
Sie trog mich mit der Unschuldsmiene
und ging mit einem Dichter durch.

Bei dem ist sie bis heut geblieben.
Gewiß ... der Mann hat keinen Bauch.
Und er hat alles klein geschrieben;

stefan george tut das auch;
    und im klavier ohn unterlaß
    führt rhythmisch einer seinen baß.

Du spielst. Ich muß mich still besaufen.
Voll ist das Glas und wieder leer.
He! Holla! Du bist abgelaufen...
Die Nadel knirscht. Du singst nicht mehr.
    In meinem Ohr ohn Unterlaß
    rauscht rhythmisch unser Schicksalsbaß:
                pom-pom

Es ist Sonnabend mittag und auf dem Piccadilly Circus dreht sich der Verkehr langsamer, man kann beinah sein eignes Wort verstehn, denn eine gewaltige Zentrifugalkraft hat die Londoner nach außen geschleudert –: Wochenende. Es ist das einzige Mal in der Woche, wo du sagen darfst: der Verkehr zappelt an dir vorüber, sonst zappelt hier gar nichts. Aber nun haben wohl alle große Sehnsucht, herauszukommen. Auf Wiedersehen, City!

Immerhin, viele sind noch da. Da hätten wir in den Theatern der Shaftesbury Avenue herzzerreißend schöne Schauspiele ‹Herbstkrokus› oder ‹Wie schön sind doch die Tränen einer Braut›, vielleicht heißt das Stück auch anders, aber die Fotos, die da in den Schaukästen hängen, sehen aus, als hieße es so. Und vor dem Theater sitzen auf kleinen Stühlchen lange Reihen von Frauen und Mädchen und auch ein paar Männer, sie sitzen da Schlange, weil sie unnumerierte Plätze und Ruhe und Zeit haben, und da warten sie, bis die Türen aufgemacht werden. Damit sie sich nicht langweilen, haben sie sich Zeitungen mitgebracht und Zigaretten und Bonbons und Freundinnen, und dann ist da auch ein alter Straßensänger, der singt ihnen etwas vor, und mitten auf dem Damm, da, wo die Taxis warten, steht mit Verlaub zu sagen ein Mann auf dem Kopf und wackelt mit den Beinen. Übrigens sieht kaum einer danach hin, und man muß nun nicht denken, daß alle Londoner immer auf dem Kopf stehen und mit den Beinen wackeln, Reisebeschreibungen verfallen oft in diesen Fehler. Dieser Mann tut das gewiß nicht zu seinem Vergnügen – wie sagte neulich ein Steptänzer im Varieté? «Es muß doch noch eine weniger anstrengende Art geben, sein Geld zu verdienen!» Sicherlich. Dieser also steht kopf.

Und vorbei braust das und eilt und geht und fährt und läuft. Ich auch.

«Excuse me!» Beinah hätte ich sie angerannt.

Sie stehen mitten im Weg, er und sie, und rechts und links fluten die Leute an ihnen vorüber. Sie sehen sie nicht. Sie sehen sich an. Ich kehre langsam um und gehe langsam an ihnen vorüber. Ich bin viermal umgekehrt, und ich bin viermal an ihnen vorüber gegangen.

Sie sprechen nichts. Sie sehen sich an. Sie sehen sich nur immerzu an.

Er spricht mit den Augen: «So kann das doch nicht weitergehn», sagt er, ohne den Mund aufzutun. «Das geht nun schon seit Wochen so – aber so kann das doch nicht weitergehn! Hier stimmt doch etwas nicht! Ist da ein andrer? Natürlich ist da ein andrer. Ich kann mir auch denken, wer es ist. Ich weiß, wer es ist. Sybil! Dazu alle unsre Liebe? Dazu?» – Sie antwortet mit den Augen, sie antwortet wenig. «Ich weiß nicht», sagt sie, ohne den Mund aufzutun. «Ich weiß nicht. Ich habe ja nichts gegen dich.» Sie ist ganz in sich gekrochen; die wahre Sybil hat sich zurückgezogen, und eine etwas repräsentative Sybil steht da und weist mit den schwarzen, schönen Augen einen Angriff zurück. Sie braucht ihn kaum zurückzuweisen – die Mauern sind so hoch...

«Sybil...!» sagen seine Augen. Nichts sagen ihre Augen.

«Weißt du noch» sagen seine Augen. «Weißt du noch? Weißt du noch den hübschen Abend am Ufer, wo nebenan im Zelt das Grammophon gespielt hat, und wo wir hinter den Bäumen zu der fremden Musik getanzt haben? Und dann sind wir weiter fortgetanzt, immer weiter, immer weiter, und wir haben die Musik nur noch ganz leise durch die Zweige gehört. Weißt du noch?» – Nichts sagen ihre Augen. Sie stehen unbeweglich, in diesem brausenden Strom der Menschen, und manche stoßen sie an, aber sie merken es nicht. «Weißt du noch?» sagen seine Augen. «Wir sind durch Hampstead gegangen, ich habe dich nach Hause gebracht, und seitdem kenne ich jeden Gartenzaun und jeden Pfahl und jedes Haus auf diesem Weg – an allem und jedem hängt ein Wort von dir... weißt du noch?» Ihre Augen sind nun gesenkt, wie ein Schleier liegt es auf ihnen, sie antwortet nicht. Ich sehe, wie er seine Augen mit Gewalt siegen lassen will – es hilft ihm nichts, sie ist stärker. Er bäumt sich auf, er ist doch ein Mann; aber es hilft ihm nichts, denn sie ist eine Frau. Er versteht das nicht.

Nie versteht ein Liebender, daß was gewesen ist, einst nicht mehr gelten kann – es war doch aber einmal! Und da meinst du, Tor, es müsse immer sein? Aber es ist nicht immer.

Sie stehen noch immer da und sagen nichts und sehen sich an. Zum Glück achtet niemand auf sie – es ist schon ein bißchen lächerlich, was sie da treiben. Auf der Bühne mag solches erlaubt sein, auf der Bühne, wo das englische Publikum, dieses dankbarste Theaterpublikum der Welt, lacht, wenn ein Kellner ein Tablett fallen läßt, und todernst wird, wenn die Geigen wimmern und sich die Waldkulisse lila färbt, denn das ist die Liebe. Auf dem Theater... gut. Aber im Leben? Im Leben verbirgt man seine Gefühle, so lange, bis die Leute glauben, man habe gar keine, denn das ist die gute Erziehung. Und da stehen sie.

Wer ist bewegt? Der Verkehr, der an den Reglosen vorüberfließt? Es ist eigentlich umgekehrt: der Verkehr ist reglos, und sie, sie sind bewegt. Jürgen Fehling hat einmal in einem Stück Barlachs so eine Szene aufgebaut: das Liebespaar saß inmitten einer Horde saufender Spießer am Tisch und sah sich an. Und die Trinkenden und Prostenden wurden immer stiller und stiller, schließlich erstarrten sie zu Wachsfiguren, nur die Liebenden sprachen noch und waren lebendig.

Und inmitten einer emsig dahintreibenden Welt, die ins Freie hinaus will, steht die Gruppe dieser beiden, bewegt und mit schlagenden Herzen in einer wächsernen Welt, die sie nicht sieht und die sie nicht sehen. Versunken... Da stehen sie und sehen sich an, er wartet, und sie ist schon bei einem andern, mit dem sie eins zu werden hofft, da stehen sie, unrettbar und unweigerlich *zwei*, man kommt ja immer nur auf Sekunden zusammen, und dann schlägt das Gewoge über ihnen zusammen, der Straßensänger krächzt sein Lied, und die schweren Autobusse schmettern und stampfen vorüber, hinaus in die grünen Vorstädte, wo der englische Rotdorn blüht.

HAWA-I

Einmal fuhr ein Gent aus Mailand
zu Schiffe um die Welt.
Und er hielt an jedem Eiland,
denn er hatte sehr viel Geld!
Und er kam im Monat Mai
auch nach Hawa-i im Ozean;
und er sprach dort in der Bai
eine braune Jungfrau an:
«A – i!
Hawa – i! Wir wolln mal beide sehn –
A – i!
Hawa – i! wie unsre Aktien stehn!
Willst du bei mir mal kuscheln:
kriegste eine Kaurimuschel –
kriegste noch 'ne Kaurimuschel,
kriegste 'n ganzen Korb voll Muscheln!»

Und sie lebten froh zusammen
in dem Bananenhain.
Aus der Jungfrau schlugen Flammen,
heiß wie Feuerschein.
Überfiel sie süß ein Ahnen
bei den Bananen,
hat er gemahnt:
«Kind, jetzt laß doch die Schikanen –
es hat sich ausbanant – –
A-i!
Hawa-i! Wir wolln mal beide sehn –
A-i!
Hawa-i! wie unsere Aktien stehn!
Willst du bei mir mal kuscheln:
kriegste eine Kaurimuschel –

kriegste noch ’ne Kaurimuschel,
kriegste ’n ganzen Korb voll Muscheln –!»

Doch es kamen Kriegsmarinen,
Kapitän und Leutenant;
und für süße Apfelsinen
brachten sie Geld an Land.
Als der Gent nun auf den Kissen
wie stets wollt küssen
ihr weiches Haar,
sprach sie: «Sie scheinen nicht zu wissen,
ich lieb nur gegen bar – –
A-i!
Hawa-i! Jetzt wolln wir doch mal sehn –
A-i!
Hawa-i! wie unsere Aktien stehn!
Du darfst bei mir nicht kuscheln:
nicht für eine Kaurimuschel –
nicht für noch ’ne Kaurimuschel,
nicht für ’n ganzen Korb voll Muscheln!»

Daher fuhr der Gent aus Mailand
durch Brandung und durch Gischt
wieder ab von jenem Eiland –
dann zahlen wollt er nischt.
Und er fuhr dann über Passau
nach Hessen-Nassau,
wo’s Mädchen gibt...
Und er hat in Hessen-Nassau
immer umsonst geliebt...
A-i!
Hawa-i! Wir beide wolln mal sehn –
A-i!
Hawa-i! wie unsere Aktien stehn!

Willst du bei ihr mal kuscheln –
zahl ihr eine Kaurimuschel –
zahl ihr noch 'ne Kaurimuschel –
(platzt sie, platzt sie!)
zahl ihr 'n ganzen Korb voll Muscheln –!

DIE DORFSCHÖNE

Wehn im Winde meine blauen Röcke, meine Röcke, meine
Röcke –
sind die Jungens alle wie die Böcke –
wie die Böcke – meck – meck.
Wenn im heißen Heu sie mich nur wittern, nur wittern, nur
wittern –
dann beginnen alle gleich zu zittern –
und dann sind sie ganz weg.
Doch, wenn sich alles immer nach mir sehnt –:
Ich steh angelehnt – immer angelehnt –
immer angelehnt an der Wand!

Wenn am Sonntag sie so richtig saufen – so saufen – so saufen –
ja, dann sind sie gleich dabei, zu raufen – zu raufen – Messer raus!
Und sie stampfen, und es klirren die Scheiben – die Scheiben – die
Scheiben –
ohne Beule kann da keiner bleiben –
und es kracht das ganze Haus.
Doch eine steht dabei und lacht und gähnt –
immer angelehnt – immer angelehnt –
immer angelehnt an der Wand.

Neulich nahm ich mal ein Bad im Teiche – im Teiche – im Teiche –
und sie standen hinter einer Eiche –
und sie stierten auf mein Bein.
Doch ich narrte alle diese Böcke – die Böcke – die Böcke –
ich trug siebenundzwanzig Unterröcke –
immer noch ein' – und noch ein' – und noch ein' – und noch ein'!
Vor Gier und Hitze manches Auge tränt –
doch ich stand angelehnt – immer angelehnt –
immer angelehnt an der Wand.

Gestern abend, als die Vöglein sangen – sangen – sangen –
kam ein Mann die Straße lang gegangen –
ein junger kräftiger Mann.
In den braunen Augen lag ein Winken – ein Winken –
ein Winken –
und ich ließ die beiden Arme sinken –
und ich sah ihn nur an.
Wie zum Sprung sich alles in mir dehnt…
nicht mehr angelehnt – nicht mehr angelehnt –
Gib mir deine Hand –!
Gib mir deine Hand –!

ZIEH DICH AUS, PETRONELLA ... !

Spielst Du Sudermann oder Maeterlinck,
oder spielst Du Mieze Stuckert,
dann denk: es ist ein eigen Ding,
das Herz, das unten puckert!
Es atmet klamm das Publikum,
es gäb was drum, es gäb was drum
erhöre nur sein Flehen:
das Publikum will sehen.
Zieh Dich aus, Petronella, zieh Dich aus! –
Denn Du darfst nicht ennuyant sein,
und nur so wirst Du bekannt sein;
und es jubelt voller Lust das ganze Haus:
«Zieh Dich aus, Petronella, zieh Dich aus!» –

Nicht bei Lulu nur oder Wedekind
ist der Platz für Deine Reize;
denn je nackter Deine Schultern sind,
je mehr sagt man: «Det kleid se!»
Als Iphigenie trägst Du nur
'ne Armbanduhr, 'ne Armbanduhr,
ich seh den weißen Nacken,
wie schön sind Deine Backen!
Zieh Dich aus, Petronella, zieh Dich aus! –
Denn Du darfst nicht ennuyant sein,
so wirst Du bekannt sein;
und es jubelt voller Lust das ganze Haus:
«Zieh Dich aus, Petronella, zieh Dich aus!» –

Und begleitet Dich nach Dein Souper
Dein Amant in Deine Wohnung,
hüllt er Dich ein bei Eis und Schnee
in Nerz mit zarter Schonung.
Stehst Du vor ihm so bloß und blaß

mit ohne was, mit ohne was,
spricht er zu Dir, Cokettchen,
vor Deinem weißen Bettchen:
Zieh Dich aus, Petronella, zieh Dich aus! –
Denn Du wirst ja darin flink sein,
und es kann bloß Dein Ring sein!
Und ich klatsch auf Deinen Rücken den Applaus:
«Zieh Dich aus, Petronella, zieh Dich aus!» –

Viertes Kapitel

1

«Wie ist denn das alles so plötzlich gekommen?» fragte die Prinzessin, als ich aus der Kerze seitlich umfiel.

Wir turnten. Lydia turnte, ich turnte – und hinten unter den Bäumen kugelte sich Billie umher. Billie war kein Mann, sondern hieß Sibylle und war eine Mädchenfrau. «Junge, ja...» sagte die Prinzessin und ließ sich hochatmend zu Boden fallen, «wenn wir davon nicht klug und schön werden...» – «Und dünn», sagte ich und setzte mich neben sie. «Wie findest du sie?» fragte die Prinzessin und deutete mit dem Kopf nach den Bäumen hinüber.

«Gut», sagte ich. «Das ist mal ein nettes Mädchen: lustig; verspielt; ernst, wenn sie will – komm an mein Herz!» – «Wer?» – «Sie.» – «Daddy, mit dem Herzen... diese Dame hat sich eben ierst von ihren Freund gietrennt, abers ganz akrat un edel und in alle Freundlichkeit.» – «Wer war das doch gleich?» – «Der Maler. Ein anständiger Junge – aber es ging nicht mehr. Frag sie nicht danach, sie mag nicht davon sprechen. Solche Suppen soll man allein auslöffeln.» – «Wie lange kennt ihr euch eigentlich?» – «Na, gut und gern zehn Jahre. Billie... das ist eben mein Karlchen, weißt du? Ich mag sie. Und zwischen uns hat noch nie ein Mann gestanden – das kann ich mir überhaupt nicht vorstellen. Sieh mal, wie sie läuft! Se löpt, as wenn er de Büx brennt!»

Sibylle kam herüber.

Es war schön, sie laufen zu sehn; sie hatte lange Beine, einen gestrafften Oberkörper, und ihr dunkelblaues Schwimmkostüm leuchtete auf dem rasigen Grün.

«Na, ihr Affen», sagte Billie und ließ sich neben uns nieder. «Wie wars?» – «Gedeihlich», sagte die Prinzessin. «Der Dicke hat geturnt, gleich kommen ihm die Knie zum Halse heraus... er ist sehr brav. Wie lange springst du jetzt Seilchen?» – «Drei Minuten», sagte ich und war furchtbar stolz.

«Wie haben Sie geschlafen, Billie?»

«Ganz gut. Wir dachten doch erst, als uns die Frau das kleine Zimmer ausgeräumt hatte, es wäre zu heiß wegen der Sonne, die da den ganzen Tag drin ist... Aber so heiß ist das hier gar nicht. Nein, ich habe ganz gut geschlafen.» Wir sahen alle aufmerksam vor uns hin und wippten hin und her.

«Hübsch, daß du hergekommen bist», sagte die Prinzessin und kitzelte Billie mit einem langen Halm am Nacken, ganz leise. «Wir hatten vor, hier wie die Einsiedler zu leben – aber dann war erst sein Freund Karlchen da, und jetzt du – aber es ist doch so schön still und friedlich... nein... wirklich...» – «Sie sind sehr gütig, mein Frollein», sagte Billie und lachte. Ich liebte sie wegen dieses Lachens, manchmal war es silbern, aber manchmal kam es aus einer Taubenkehle – dann gurrte sie, wenn sie lachte. «Was haben Sie da für einen hübschen Ring, Billie», sagte ich. «Nichts... das ist ein kleiner Vormittagsring...» – «Zeigen Sie mal... ein Opal? Der bringt... das wissen Sie doch... Opale bringen Unglück!» – «Mir nicht, Herr Peter, mir nicht. Soll ich vielleicht einen Diamanten tragen?» – «Natürlich. Und mit dem müssen Sie dann im Schambah Zepareh Ihren Namen in den Spiegel kratzen. Das tun die großen Kokotten alle.» – «Danke. Übrigens hat mir Walter erzählt: da ist er in Paris in einem cabinet particulier gewesen, und da hat auch eine etwas an den Spiegel gekratzt. Raten Sie, was da gestanden hat!» – «Na?» – «Vive l'anarchie! Ich fand das sehr schön.» Wir freuten uns. «Gymnastizieren wir noch ein bißchen?» fragte ich. «Nein, meine Herrschaften, was ich bün, ick hätt somit gienug», sagte die Prinzessin und reckte sich. «Mein Pensum ist erledigt. Billie, deine Badehose geht auf!» Sie knöpfte ihr das Trikot zu.

Billies Körper war braun, von Natur oder von der Sonne der See, woher sie grade kam. Sie hatte zu dieser getönten Haut rehbraune Augen und merkwürdigerweise blondes Haar – echtes blondes Haar... es paßte eigentlich gar nicht zu ihr. Billies Mama war eine... eine was? Aus Pernambuco. Nein, so war das nicht. Die Mama war eine Deutsche, sie hatte lange mit ihrem deutschen Mann in Pernambuco gelebt, und da muß einmal irgend etwas gewesen sein... Billie war, vorsichtig geschätzt, ein Halbblut, ein Viertelblut... irgend so etwas war es. Eine fremde Süße ging von ihr aus; wenn sie so dasaß, die Beine angezogen, die Hände unter den Knien, dann war sie wie eine schöne Katze. Man konnte sie immerzu ansehn.

«Was war das gestern abend für ein Schnaps, den wir getrunken haben?» fragte Billie langsam und verwandte kein Auge von dem, was in einer nur ihr erreichbaren Ferne vor sich ging. Die Frage war ganz in der Ordnung – aber sie machte ein falsches Gesicht dazu, in leis verträumter Starre, und dann diese Erkundigung nach dem Schnaps... Wir lachten. Sie wachte auf. «Na...» machte sie.

«Es war der Schnaps Labommelschnaps», sagte ich sehr ernsthaft. «Nein wirklich... was war das?» – «Es war schwedischer Kornbranntwein. Wenn man so wie wir nur ein Glas trinkt, erfrischt er und ist angenehm.» – «Ja, sehr angenehm...» Wir schwiegen wieder und ließen uns von der Sonne bescheinen. Der Wind atmete über uns her, fächelte die Haut und spülte durch die Poren, in denen das Blut sang. Ich war in der Minderheit, aber es war schön. Meist bildeten die beiden eine Einheit – nicht etwa gegen mich... aber ein bißchen ohne mich. Bei aller Zuneigung: wenn ich dann neben ihnen ging, fühlte ich plötzlich jenes ganz alte Kindergefühl, das die kleinen Jungen manchmal haben: Frauen sind fremde, andre Wesen, die du nie verstehen wirst. Was haben sie da alles, wie sind sie unter ihren Röcken... wie ist das mit ihnen! Meine Jugend fiel in eine Zeit, wo die Takelage der Frau eine sehr komplizierte Sache war – zu denken, was sie da alles zu haken und zu knöpfeln hatten, wenn sie sich anzogen! Ein Ehebruch muß damals eine verwickelte Sache gewesen sein. Heute knöpfen die Männer weit mehr als die Damen; wenn die klug sind, können sie sich wie einen Reißverschluß aufmachen. Und manchmal, wenn ich Frauen miteinander sprechen höre, dann denke ich: sie wissen das ‹Das› voneinander; sie sind denselben Manipulationen und Schwankungen in ihrem Dasein unterworfen, sie bekommen Kinder auf dieselbe

Weise... Man sagt immer: Frauen hassen einander. Vielleicht, weil sie sich so gut kennen? Sie wissen zu viel, eine von der andern – nämlich das Wesentliche. Und das ist bei vielen gleich. Wir andern haben es da wohl schwieriger.

Da saßen sie in der Sonne und schwatzten, und ich fühlte mich wohl. Es war so etwas wie ein Eunuchenwohlsein dabei; wäre ich stolz gewesen, hätte ich auch sagen können: Pascha – aber das war es gar nicht. Ich fühlte mich nur so geborgen bei ihnen. Nun war Billie vier Tage bei uns, und in diesen vier Tagen hatten wir miteinander keine schiefe Minute gehabt... es war alles so leicht und fröhlich.

«Wie war er?» hörte ich die Prinzessin fragen. «Er war ein Kavalier am Scheitel und an der Sohle», sagte Sibylle, «dazwischen...» Ich wußte nicht, von wem sie sprachen – ich hatte es überhört. «Ach wat, Jüppel-Jappel!» sagte die Prinzessin. «Wenn einen nichts taugt, denn solln sofordsten von ihm aff gehn. Was diese Frau is, diese Frau ischa soo dumm, daß sie solange – na ja. Seht mal! Pst! ganz stille sitzen – dann kommt er näher... Und wie er mit dem Schwänzchen wippt!» Ein kleiner Vogel hüpfte heran, legte den Kopf schief und flog dann auf, von etwas erschreckt, das in seinem Gehirn vor sich gegangen war – wir hatten uns nicht geregt. «Was mag das für einer gewesen sein?» fragte Billie. «Das war ein Amselbulle», sagte die Prinzessin. «Ah – dumm – das war doch keine Amsel...» sagte Billie. «Ich will euch was sagen», sprach ich gelehrt, «bei solchen Antworten kommt es gar nicht darauf an, obs auch stimmt. Nur stramm antworten! Jakopp hat mal erzählt, wenn sie mit ihrem Korps einen Ausflug gemacht haben, dann war da immer einer, das war der Auskunftshirsch. Der mußte es alles wissen. Und wenn er gefragt wurde: Was ist das für ein Gebäude? – dann sagte er a tempo: Das ist die Niedersächsische Kreis-Sparkasse! Er hatte keinen Schimmer, aber alle Welt war beruhigt: eine Lücke war ausgefüllt. So ist das.» Die Mädchen lächelten höflich, ich war auf einmal allein mit meinem Spaß. Nur ein Sekündlein, dann war es vorbei. Sie standen auf.

«Wir wollen noch laufen», sagte Billie. «Einmal rund um

die Wiese! Eins, zwei, drei – los!» Wir liefen. Billie führte; sie lief regelmäßig, gut geschult, der Körper funktionierte wie eine kleine exakte Maschine ... es war eine Freude, mit ihr zu laufen. Hinter mir die Prinzessin japste zuweilen. «Ruhig laufen!» sagte ich vor mich hin, «du mußt durch die Nase atmen – mit dem ganzen Fuß auftreten – nicht zu sehr federn!» und dann liefen wir weiter. Mit einem langen Atemzug blieb Billie stehn; wir waren beinah einmal um die große Wiese herumgekommen. «Uffla!» – Wir waren ganz warm. «Ins Schloß unter die Brause!» Wir nahmen unsre Bademäntel und gingen langsam über die Wiese; ich trug meine Turnschuhe in der Hand, und das Gras kitzelte meine Füße. Das ist schön, mit den Mädchen zusammenzusein, ohne Spannung. Ohne Spannung?

(...)

3

«Da liegt sozusagen die Sittlichkeit mit der Moral im Streite», sagte die Prinzessin, und wir lachten noch, als wir uns an den großen Tisch in unserm Zimmer setzten. Die Schloßfrau hatte Billie auseinandergesetzt, es wäre gar nicht wahr, daß «alle Schweden immer nackt badeten», wie man so oft sagen hörte. Gewiß, manchmal, in den Klippen, wenn sie unter sich wären... aber im übrigen wären es Leute wie alle andern auch, wenig wild nach irgendeiner Richtung, es sei denn, daß sie gern Geld ausgäben, wenn einer zusähe.

Draußen fiel der Regen in perlenden Schnüren.

«Das ist aber ein fröhlicher Regen», sagte Billie. Das war er auch. Er rauschte kräftig, oben am Himmel zogen schwarz-braune Wolken rasch dahin, vielleicht waren nur wir es, die so fröhlich waren, trotz alledem. Das war schön, hier in der trockenen Stube zu sitzen und zu sprechen. Was hatte Billie für ein Parfum? «Billie, was haben Sie für ein Parfum?» Die Prinzessin schnupperte. «Sie hat sich etwas zusammengegossen», sagte sie. Billie wurde eine Spur rot – schien mir das nur so?» «Ja, ich habe gepanscht. Ich mache mir da immer so etwas zurecht...» aber sie sagte die Namen nicht.

«Billie, hilf mir mal – kannst du das? Guck mal!» Die Prinzessin löste seit gestern an einem schweren Silbenrätsel herum. «Ich habe hier: Hochland in Asien... doch, das habe ich. Aber hier: Orientalischer Männername... Wendriner? Nein, das kann ja wohl nicht stimmen – Katzenellenbogen...? Auch nicht... Fritzchen! Sag du!» – «Wie heißt er denn nun eigentlich?» fragte Billie entrüstet. «Mal sagst du Peter zu ihm und mal Daddy und jetzt wieder Fritzchen...!» – «Er heißt Ku-ert...» sagte die Prinzessin. «Ku-ert... Dascha gah kein Nomen – wenn hei noch Fänenand oder Ullerich heiten deer, as Bürgermeister sinen!» Verachtung auf der ganzen Linie. Aber nun war Billies Bildungsdrang gereizt; die beiden Köpfe beugten sich über das Zeitungsblatt. Ich saß faul daneben und sah zu. Und da, so vor den beiden... Kikeriki – machte es in mir ganz leise, Kikeriki... Sie tuschelten und kuderten vor Lachen. Ich zog an der neuen Pfeife, die nun schon ein wenig angeraucht war, und saß mit einer Miene da, die gutmütige Männerüberlegenheit andeuten sollte. Eben hatte Billie etwas gesagt, was man bei einigermaßen ausschweifender Phantasie auch sehr zweideutig nehmen konnte, die Prinzessin sandte mir blitzschnell einen Blick herüber: Es war wie Einverständnis zwischen Verschworenen. Nachtverschworene... Am Tage wurde fast nie von der Nacht gesprochen – aber die Nacht war im Tag, und der Tag war in der Nacht. «Liebst du mich noch?» steht in den alten Geschichten. Erst dann – erst dann!

(...)

Wir gingen zum Essen.

«Billie!» sagte ich, «wenn das der alte Geheimrat Goethe sähe! Wasser in den Wein! Wo haben Sie denn diese abscheuliche Angewohnheit her! sagte er zu Grillparzer, als der das tat. Oder hat er es zu einem andern gesagt? Aber gesagt hat er es.» – «Ich vertrage nichts», sagte Billie, und ihre Stimme klang, wie wenn ein silberner Ring in einen Becher fällt... – «Verträgt Margot vielleicht mehr?» fragte die Prinzessin.

«Margot...» sagte Billie und lachte. «Ich habe sie mal gefragt, was sie wohl täte, wenn sie beschwipst wäre. Sie war es nämlich noch nie. Sie hat gesagt: wenn ich betrunken bin, das stelle ich mir so vor – ich liege unter dem Tisch, habe den Hut schief auf und sage immerzu Miau!» Das wurde mit einem sanften Rotwein begossen; Billie schluckte tapfer, die Prinzessin sah mich an, schmeckte und sprach: «Ich mache mir ja nichts aus Rotwein. Aber wenn das der selige Herr Bordeaux wüßte...» und dann sprachen wir wieder von Zürich und von dem kleinen Gegenstand, und Billie wurde munter, wohl weil sie uns Rotwein trinken sah. Die Prinzessin blickte sie wohlgefällig von der Seite an.

Ich gähnte verstohlen. «Na, schickst all een to Bett?» fragte die Prinzessin. «Ich schreibe noch den Brief an die Frau. Löst ihr nur euer Rätsel!» Sie lösten. Ich schrieb.

Was die Schreibmaschine heute nur hatte! Manchmal hat sie ihre Nücken und Tücken, das Luder; dann verheddern sich die Hebel, nichts klappt, das Farbband bleibt haken, gleich schlage ich mit der Faust... «Hö-he-he!» rief die Prinzessin herüber. Sie kannte das, und ich schrieb beschämt und ruhiger weiter. So, das war fertig. Vielleicht ist der Brief zu schwer... Haben wir hier keine Briefschaukel? «Ich bringe ihn noch auf die Post!»

Es regnete. Schön ist das, durch so einen frischen Regen zu gehn... Wie heißt der alte Spruch? Es gibt kein schlechtes Wetter, es gibt nur gute Kleider. Nun, es gibt schon schlechtes Wetter; es gibt mißratenes Wetter, es gibt leeres Wetter, und manchmal ist überhaupt kein Wetter. Der Regen befeuchtete mir die Lippen; ich schmeckte ihn und atmete tief: es ist doch hier weiter gar nichts, Ferien, Schweden, die Prinzessin und Billie – aber dies ist einer jener Augenblicke, an die du dich später einmal erinnern wirst: ja, damals, damals warst du glücklich. Und ich war es und dankbar dazu.

Zurück.

«Na, habt ihr gelöst?» – Nein, sie lösten noch und waren grade in eine erbitterte Streiterei geraten. ‹Vater der Kirchengeschichte›... sie mußten da irgendeinen Unsinn gemacht haben, denn für dieses eine Wort hatten sie noch acht Silben übrig, darunter: e-di-son, und obgleich der ja nun viel in seinem Leben getan und seine Zeit umgestaltet hat: Kirchengeschichte hatte er doch wohl nicht... «Löst das nachher!» sagte ich. «Wann nachher?» fragte Billie. «Da schlafen wir.» – «Billie schläft überhaupt heute bei mir», sagte die Prinzessin. «Du kannst nebenan in der Kemenate schlafen!» – «Hurra!» riefen die beiden. «Macht es Ihnen etwas?» fragte mich Billie. «Aber...!» Und sie lief davon und holte ihre Sachen, jene Kleinigkeiten, die jede Frau braucht, um glücklich zu sein. «Du gefällst ihr, mein Sohn», sagte die Prinzessin. «Ich kenne sie. Ist sie nicht wirklich nett?» Und die Prinzessin begann umzuräumen und Billies Zimmer nachzusehn, und es gab eine furchtbare Aufregung. «Wohin soll ich die Blumen stellen?» – «Stell sie auf den Toilettentisch!»

Es war kein alter Bordeaux – aber es war ein schwerer Bordeaux. Das Zimmer lag im abgeblendeten Schein der Lampen, es war so warm und heimlich, und wir kuschelten uns.

«Schon?» fragte ich. Die Damen wollten schlafen gehn. «Aber wenn ihr im Bett seid», sagte ich, «dann laßt die Tür noch offen – damit ich höre, was ihr euch da erzählt!» Ich ging und zog mich aus. Dann klopfte ich. «Willst du...!» sagte die Stimme der Prinzessin. «Wird hier ehrsame Damens bei der Toilette stören! Mädchenschänder! Wüstling! Blaubart! Ein albernes Geschlecht –!» Wo aber war mein Eau de Cologne? Mein Eau de Cologne war da drin – so ging das nicht! Man ist doch ein feiner Mann. Ich klopfte wieder. Geraschel. «Ja?» Ich trat ein.

Sie lagen im Bett. Billie in meinem: sie hatte einen knallbunten Pyjama an, auf dem hundert Blumen blühten, jetzt sah sie aus, wie die wilde Lieblingsfrau eines Maharadschas... sie lächelte ruhig in ihr Rätselblatt. Sie war beinah schön. «Was willst du?» fragte die Prinzessin. «Mein Eau...» – «Haben wir all ausgebraucht!» sagte sie. «Nu wein man nicht – ich kauf dir morgen neues!» Ich brummte. «Habt ihr denn fertig gelöst?» – «Wenn wir dich brauchen, rufen wir dich... Gute Nacht darfst du auch sagen!» Ich ging an sie heran und sagte artig zu jeder gute Nacht, mit zwei tiefen Verbeugungen. «Billie, was haben Sie für ein schönes Parfum!» Sie sagte nichts; ich wußte, was es war. Das Parfum ‹arbeitete› auf ihrer Haut – es war nicht das Parfum allein, es war sie. Und sie hatte für sich das richtige ausgewählt. Die Prinzessin bekam einen Kuß, einen ganz leise bedauernden Kuß. Dann ging ich. Die Tür blieb offen.

«Halbedelstein –» hörte ich Billie sagen. «Halbedelstein… Laß mal. Saphir… nein. Rubin… nein. Opa… auch nicht. Lydia!» – «Topas!» rief ich aus meinem Zimmer. «Ja, – Topas! Du bist ein kluges Kind!» sagte die Prinzessin. «Nun – nein, so geht das nicht – laß doch mal –» Jetzt rauften sie, die Betten rauschten, Papier knatterte… «Hiii -!» rief Billie in einem ganz hohen Ton. Etwas zerriß. «Du dumme Person!» sagte die Prinzessin. «Komm – jetzt schreiben wir das noch mal auf dies Papier… da stimmt doch was nicht! Wir haben eben falsch ausgestrichen…» – «Der Doktor Pergament kann Silbenrätsel ohne Bleistift lösen!» rief ich. Sie hörten gar nicht zu. Sie waren wohl sehr eifrig bei der Arbeit. Pause.

Die Prinzessin: «Hauch… Hast du sowas gesehn? Was ist Hauch?» – «Atem!» sagten Billie und ich gleichzeitig. Es war wie ein Einverständnis. Wieder raschelten sie. «Das ist ja ganz falsch! Der Inbegriff alles sinnlich Wahrnehmbaren – sinnlich Wahrnehmbaren…» Jetzt waren sie offenbar am Ende ihres Lateins, denn nun wurde es ganz still – man hörte gar nichts mehr. «Ich weiß nicht…» sagte die Prinzessin. «Das ist bestimmt ein Druckfehler!» – «Druckfehler bei Silbenrätseln gibt es nicht!» rief ich. «Du halt deinen Schnabel, du alte Unke!» – «Laß doch mal…» – «Gib mal her…» – «Weißt du Rats?» Beide: «Wir wissen nichts.» – «Es muß ein Erwachsener kommen», sagte ich. «Da laßt mich mal ran.» Und ich stand auf und ging hinein.

Ich nahm einen Stuhl und setzte mich zur Prinzessin. Einen Augenblick lang hatte der Stuhl in meiner Hand geschwankt; er wollte zu Billie, der Stuhl. «Also – gebt mal her!» Ich las, warf das Papier herunter, hob es wieder auf und probierte mit dem Bleistift auf einem neuen Blatt. Die beiden sahen spöttisch zu. «Na?» – «So schnell geht das nicht!» – «Er weiß ja auch nicht!» sagte Billie. «Wir wollen erst mal alle in den Rotwein steigen!» sagte ich. Das geschah.

«Sehr hübsch», sagte die Prinzessin. «Rotweinflecke haben Hausfrauen gern, besonders auf Bettwäsche. Du altes Ferkel!» Das galt mir. «Die gehn doch raus», maulte ich. «Salzflecke werden gereinigt, indem man Rotwein darüber gießt», lehrte die Prinzessin. Und dann lagen sie wieder beide bäuchlings an ihrem Blatt und lösten. Und es ging nicht vorwärts. Billie hatte die Haare aus der Stirn gestrichen und sah wie ein Baby aus. Wie ein Babybild von Billie. Wie rund ihr Gesicht war, wie rund. «Ge... Geweihe –!» schrie Billie. «Geweihe! Für Jagdtrophäen! Siehst du, das haben wir vorhin nicht gewußt. Aber wohin gehört chrys – chrys...» – «Ich auch!» Nun lag ich halb auf dem Bett, bei der Prinzessin, und starrte angestrengt auf die Bleistiftschreiberei. «Chrysopras!» sagte ich plötzlich. «Chrysopras! Gebt mal her!» Die beiden schwiegen bewundernd, und ich genoß meine lexikalische Bildung. Wir horchten. Ein Windstoß fuhr gegen die Scheiben, draußen trommelte der Nachtregen.

«Kalt ist das...» sagte ich. «Komm zu mir!» sagte die Prinzessin. «Du erlaubst doch, Billie?» Billie erlaubte. Ganz still lag ich neben der Prinzessin.

«Gestalt aus Shakespeares ‹*Sturm*›...» Allmählich rann die Wärme Lydias zu mir herüber. Mir lief etwas leise den Rücken hinunter. Billie rauchte und sah an die Decke. Ich legte meine Hand hinüber – sie nahm sie und streichelte mich sanft. Ihr Ring blitzte matt. Noch lagen wir beieinander wie junge Tiere – wohlig im Zusammensein und froh, daß wir beisammen waren: ich in der Mitte, wie geborgen. Billie fing an, in der Kehle zu knurren. «Was knurrst du da?» sagte Lydia. «Ich knurre», sagte Billie. Gestalt aus Shakespeares ‹*Sturm*›... War es das Wort? Das Wort Sturm? Wenn Bienen andre Bienen zornig summen hören, werden sie selber zornig. War es das Wort Sturm? Oben in den Schulterblättern begann es, ich dehnte mich ein ganz klein wenig, und die Prinzessin sah mich an. «Was hast du?» Niemand sagte etwas. Billie knackte mit meinen Nägeln. Wir hatten das Blatt sinken lassen. Es war ganz still.

«Gib mal Billie einen Kuß!» sagte die Prinzessin halblaut. Mein Zwerchfell hob sich – ist das der Sitz der Seele? Ich richtete mich auf und küßte Billie. Erst ließ sie mich nur gewähren, dann war es, wie wenn sie aus mir tränke. Lange, lange... Dann küßte ich die Prinzessin. Das war wie Heimkehr aus fremden Ländern.

Sturm.

Als Zephir begann es – wir waren ‹außer uns›, denn jeder war beim andern. Es war ein Spiel, kindliche Neugier, die Freude an einer fremden Brust... Ich war doppelt, und ich verglich; drei Augenpaare sahen. Sie entfalteten den Fächer: Frau. Und Billie war eine andre Billie. Ich sah es mit Staunen.

Ihre Züge, diese immer ein wenig fremdartigen Züge, lösten sich; die Augen waren feucht, ihre Gespanntheit wich, und sie dehnte sich... Der Pyjama erblühte bunt. Nichts war verabredet, alles war wie gewohnt – als müßte es so sein. Und da verloren wir uns.

Es war, wie wenn jemand lange mit seinem Bobsleigh am Start gestanden hatte, und nun wurde losgelassen – da sauste der Schlitten zu Tal! Wir gaben uns jenem, der die Menschen niederdrückt und aufhebt, zum tiefsten und höchsten Punkt zugleich... ich wußte nichts mehr. Lust steigerte sich an Lust, dann wurde der Traum klarer, und ich versank in ihnen, sie in mir – wir flüchteten aus der Einsamkeit der Welt zueinander. Ein Gran Böses war dabei, ein Löffelchen Ironie, nichts Schmachtendes, sehr viel Wille, sehr viel Erfahrung und sehr viel Unschuld. Wir flüsterten; wir sprachen erst übereinander, dann über das, was wir taten, dann nichts mehr. Und keinen Augenblick ließ die Kraft nach, die uns zueinander trieb; keinen Augenblick gab es einen Sprung, es hielt an, eine starke Süße erfüllte uns ganz, nun waren wir bewußt geworden, ganz und gar bewußt. Vieles habe ich von dieser Stunde vergessen – aber eins weiß ich noch heute: wir liebten uns am meisten mit den Augen.

«Mach das Licht aus!» sagte Lydia. Das Licht erlosch, erst

die große Krone im Zimmer, dann das Lämpchen auf dem Nachttisch.

Wir lagen ganz still. Am Fenster war ein schwacher Schein. Billies Herz klopfte, sie atmete stark, die Prinzessin neben mir rührte sich nicht. Aus den Haaren der Frauen stieg ein Duft auf und mischte sich mit etwas Schwachem, was die Blumen sein mochten oder das Parfum. Sanft löste sich Billies Hand aus der meinen. «Geh», sagte die Prinzessin, fast unhörbar.

Da stand ich nebenan im Zimmer Billies und sah vor mich hin. Kikeriki – machte es ganz leise in mir, aber das war gleich vorbei, und ein starkes Gefühl der Zärtlichkeit wehte zu denen da hinüber. Ich legte mich nieder.

Sprachen sie? Ich konnte es nicht hören. Ich stand wieder auf und kroch unter die Dusche. Eine süße Müdigkeit befiel mich – und ein fast zwanghafter Trieb, hinzugehen und ihnen Rosen auf die Decke... wo bekommt man denn jetzt nachts Rosen her... das ist ja – Jemand war an der Tür.

«Du kannst gute Nacht sagen!» sagte die Prinzessin. Ich ging hinein.

Billie sah mich lächelnd an; das Lächeln war sauber. Die Prinzessin lag neben ihr, so still. Zu jeder ging ich, und jede küßte ich leise auf den Mund. «Gute Nacht...» und «Gute Nacht...» Kräftig rauschten draußen die Bäume. Eine Sekunde lang stand ich noch am Bett.

«Wie ist denn das alles so plötzlich gekommen?» sagte die Prinzessin leise.

2

Die Unterwelt der Gefühle

SIE SCHLÄFT

Morgens, vom letzten Schlaf ein Stück,
nimm mich ein bißchen mit –
auf deinem Traumboot zu gleiten ist Glück –
Die Zeituhr geht ihren harten Schritt...
    pick-pack...

«Sie schläft mit ihm» ist ein gutes Wort.
Im Schlaf fließt das Dunkle zusammen.
Zwei sind keins. Es knistern die kleinen Flammen,
aber dein Atem fächelt sie fort.
Ich bin aus der Welt. Ich will nie wieder in sie zurück –
jetzt, wo du nicht bist, bist du ganz mein.
Morgens, im letzten Schlummer ein Stück,
kann ich dein Gefährte sein.

LIED FÜRS GRAMMOPHON

Gib mir deine Hand,
Lucindy!
Du, im fernen Land –
Lucindy!
Wie die Ätherwellen flitzen
über Drähte, wo die Raben sitzen,
saust meine Liebe dir zu...
du –
tu–tu–tu– mmm –

Wenn du mich liebst, so singt dein Blut,
Lucindy!
Ach, wenn du nicht da bist, bin ich dir so gut,
Lucindy!
Dein, dein Lächeln läßt mir keine Ruh...
Man kann von oben lächeln,
man kann von unten lächeln,
man kann daneben lächeln –
wie lächelst du?
tu–tu–tu– mmm –

Meine, die will mich verlassen,
Lucindy!
Deiner, der will dich fassen,
Lucindy!
Kehr zu ihm zurück!
Vielleicht ist das das Glück...
Ich guck in den Mond immerzu –
oh, so blue – mmm –

Wie man auch setzt im Leben,
Lucindy!
man tippt doch immer daneben,
Lucindy!
Wir sitzen mit unsern Gefühlen
meistens zwischen zwei Stühlen –
und was bleibt, ist des Herzens Ironie...
Lucindy!
Lucindy!
Lucindy –!

WIE MANS MACHT . . .

a) Trost für den Ehemann

Und wenn sie dich so recht gelangweilt hat,
dann wandern die Gedanken in die Stadt . . .
Du stellst dir vor, wie eine dir,
und wie du ihr, das denkst du dir . . .
Aber so schön ist es ja gar nicht!

Mensch, in den Bars, da gähnt die Langeweile.
Die Margot, die bezog von Rudolf Keile.
Was flüstert nachher deine Bajadere?
Sie quatscht von einer Filmkarriere,
und von dem Lunapark und Feuerwerk,
und daß sie Reinhardt kennt und Pallenberg . . .
Und eine Frau mit Seele? Merk dies wichtige:
die klebt ja noch viel fester als die richtige.

Du träumst von Orgien und von Liebesfesten.
Ach, Mensch, und immer diese selben Gesten,
derselbe Zimt, dieselben Schweinerein –
was kann denn da schon auf die Dauer sein!
Und hinterher, dann trittst du an
mit einem positiven Wassermann,
so schön ist das ja gar nicht.

Sei klug. Verfluch nicht deine Frau, nicht deine Klause.
Bleib wo du bist.
Bleib ruhig zu Hause.

b) Trost für den Junggesellen

Du hast es satt. Wer will, der kann.
Du gehst jetzt häufiger zu Höhnemann.
Der hat mit Gott zwei Nichten. Zart wie Rehe.
Da gehst du ran. Du lauerst auf die Ehe.

Bild dir nichts ein. Du schüttelst mit dem Kopf?
Ach, alle Tage Huhn im Topf
und Gans im Bett – man kriegt es satt,
man kennt den kleinen Fleck am linken Schulterblatt...
So schön ist es ja gar nicht!

Sie zählt die Laken. Sagt, wann man großreinemachen soll.
Du weißt es alles, und du hast die Nase voll.
Erst warst du auf die Heirat wie versessen;
daß deine Frau auch Frau ist, hast du bald vergessen.

Sei klug. Verfluch nicht deine Freiheit, deine Klause.
Bleib wo du bist.
Bleib ruhig zu Hause.

c) Moral

Lebst du mit ihr gemeinsam – dann fühlst du dich recht einsam.
Bist du aber alleine – dann frieren dir die Beine.
Lebst du zu zweit? Lebst du allein?
Der Mittelweg wird wohl das richtige sein.

NICHT! NOCH NICHT!

Ein leichter Suff umnebelt die Gedanken.
Verdammt! Der Frühling kommt zu früh.
Der Parapluie
steht tief im Schrank – die Zeitbegriffe schwanken.

Was wehen jetzt die warmen Frühlingslüfte?
Ein lauer Wind umsäuselt still
mich im April –
die Nase schnuppert ungewohnte Düfte.

Du lieber Gott, da ist doch nichts dahinter!
Und wie ein dicker Bär sich murrend schleckt,
zu früh geweckt,
so zieh ich mich zurück und träume Winter.

Ich bin zu schwach. Ich will am Ofen hocken –
die Animalität ist noch nicht wach.
Ich bin zu schwach.
Laternenschimmer will ich, trübe Dämmerung und
dichte Flocken.

SUBKUTAN

Ich geh mit etwas weichen Knien
und träumerisch durch ganz Berlin
leicht angeknockt und ein wenig schwach:
ernsten Berufsgeschäften nach.

Der Ordner hieß ‹Helvetia›;
von den Packpapierbogen ist nichts mehr da;
die Lieferung hätten wir noch ergattert –
Telefon schnurrt, Schreibmaschine schnattert...
Chinesisch-fett ruht mein Gesicht,
und was gestern war, weiß keiner nicht.

Da gibt es im Märchen einen Zwerg,
der glaubt sich mit allem längst über den Berg;
an einem unbewachten Ort
sagt das Dummchen sein Zauberwort
und tanzt dazu auf einem Bein
und steht nicht an, vor sich hin zu schrein:
 «Ach, wie schön, daß niemand weiß,
 daß ich Rumpelstilzchen heiß –!»

Vor mir schreibt ein gebeugter Scheitel...
Männer sind manchmal bodenlos eitel.
Und in mir gluckert ein Freudengebraus:
ich hab euch allen etwas voraus!
 Und beschaulich, in guter Ruh,
 seh ich den Geisteskranken zu,
 die sich im Reichstag wichtig machen,
 hör still erfreut die Schlagzeilen krachen
 von Morgen-, Mittag- und Nachtausgabe...
Macht, macht... Ich persönlich habe
meinen Teil weg. Und bin angenehm matt.
Wer hat, hat.

Nur kein Neid.

Das ist die schönste Tageszeit:
die nach der Erfüllung. Da läßt man sich treiben,
möchte immerzu die Hände reiben
und hat zu eignem Privatgebrauch
so etwas wie Schadenfreude im Bauch.
Denn jeder Kerl glaubt dann und wann,
er sei ganz alleine ein Mann.

Kein Feuer, keine Kohle
kann brennen so heiß
wie die heimliche Liebe,
von der niemand nichts weiß.

Kennst du das?

Zu dem, was an solchem Tage geschieht,
zu allem, was dein Auge sieht,
zu allen Reden und Diskussionen,
zu allen Reichsgerichts-Konstruktionen;
zu Vollbärten, die sich gebildet bekleckern –:
immer hörst du ein Stimmchen meckern:
«Ach, wie schön, daß niemand weiß,
daß ich Rumpelstilzchen heiß –!»

Mensch, sei diskret! Ein Dummkopf, wer sich spreizt.
Fremder Hunger langweilt.
Fremdes Glück reizt.
Und dann sieht dich jemand in ihrem Haus.
Und dann ist die ganze Bescherung aus.

Leidige Politika!
Clementine, süßer Fetzen!
Laß mich mich an dir ergetzen –
bin so wild, seit ich dich sah,
Venus Amathusia!

Mädchen mit dem kleinen Ohr,
mit den maßvoll fetten Beinen,
sieh vor Lust mich leise weinen,
ein verliebter heißer Tor …
Hogarth nennt dies Bild: Before.

Aber eine Nacht darauf?
Schweigt dein Troubadour und schlaft er?
Hogarth nennt dies Bildchen: After.
Sieh, das ist der Welten Lauf –
hebst du die Gefühle auf?

Bald bin ich dir wieder nah.
Schau, ich kann nur manchmal lügen.
Du tusts stets in vollen Zügen.
Laß dir nur an mir genügen
zwischen Noske, Kahl und Spa –
Venus Amathusia!

ERWECKUNG

Heut, nach Jahren, sah ich Josephine.
Welch ein Schreck!
Ach, ich kannt sie mit der Unschuldsmiene –.
Die ist weg.
Kannte sie noch, als sie leise senkte
Lid und Wimper, wenn ein Mann sie kränkte.
Durft ihr niemals nach halb neune nahn...
Wer hat diese Augen aufgetan?

Ihre Blicke waren einstmals züchtig.
Keusch und blind
küßte sie ihr gutes Muttchen flüchtig,
wie ein Kind.
Heute rufen ihre blauen Sterne:
Bleib! Ich sterbe küssend gar zu gerne –!
Wer geleitet sie auf süßer Bahn?
Wer hat diese Augen aufgetan?

Von der Liebe immer fortzugleiten,
ist mein Fluch.
Finster schreib ich Tagesneuigkeiten
in dies Buch.
Ach, Germania, sieh auf Josephinen!
Dir ist noch kein starker Mann erschienen.
Glaubst noch immer deinem Kinderwahn...
Wann wird dir die Seele aufgetan?

MIR IST SO MULMIG UM DIE BRUST

Sah ich im vorchten Jahr
im Rinnstein mal zwei Dackeln,
die sich beschnuppern
und mit ihre Schwänzchens wackeln,
wat is denn det? – Wat is denn det?
Ick hatte keinen Schimmer
von jeheime Sachen,
ick wußte jahnich,
was die kleinen Hundchens machen,
nu weeß ick et, nu weeß ick et.
Denn da kam die lange Frieda, die Frieda, die Frieda,
die weiß immer sone Lieda – sone Lieda – sone Lieda,
weil ihr schon ein Herr beehrt,
und die hat mir uffgeklärt.
Mir ist so mulmig um die Brust,
seit gestern Nacht,
mir ist so zittrig um die Knie,
seit heute früh,
mir ist so komisch um die Hüften,
und die wern schon rund,
und manchmal ween ick wie
son kleener Schnullerhund.
Vielleicht ein Jährchen,
bin ick schon soweit,
verborgnes Veilchen in der Blütezeit.

In unsre Stube wohnt
Logis son langer Bengel,
der spielt mit meine
Schwester immer Badeengel –
wat is denn det? Zu zweit im Bett?
Doch Mutta sagt zu mir, ick
soll ma man vakrauchen,

weil wir die Miete
von den Schlafbursch nötig brauchen,
nu wußt ick et, nu wußt ick et.
Nachts träum ick von unserm Lehrer –
unserm Lehrer – unserm Lehrer –
der begehrt mir als Verehrer –
als Verehrer – als Verehrer –
und er hat nischt an wien Hemd
und denn fühl ick mir so fremd.
Mir ist so mulmig um die Brust,
seit gestern Nacht,
mir ist so zittrig um die Knie,
seit heute früh,
mir ist so komisch um die Hüften,
und die wern schon rund,
und manchmal ween ick wie
son kleener Schnullerhund.
Vielleicht ein Jährchen,
bin ick schon soweit,
verborgnes Veilchen in der Blütezeit.

Mein kleener Keesetäng
is jahnich mehr vapickelt,
und Frieda sagt, ick
hätt zum Weibe mir entwickelt –
wat is denn det? Wat is denn det?
Ja, bei uns Fraun is diss die
Zeit der vollen Reife,
und meine Schwester
klau ick ihre Rosenseife,
un det Korsett, un det Korsett.
Lieber Gott, machs wie bei Susen –
bei Susen – bei Susen –
schenke mir 'nen dicken Busen –
'nen Busen – 'nen Busen.

Lieber Gott, ach, mach mich schön,
ick soll uff de Straße jehn.
Mir ist so mulmig um die Brust,
seit gestern Nacht,
mir ist so zittrig um die Knie,
seit heute früh,
mir ist so komisch um die Hüften,
und die wern schon rund,
und manchmal ween ick wie
son kleener Schnullerhund.
Vielleicht ein Jährchen,
bin ick schon soweit,
verborgnes Veilchen in der Blütezeit.

AN DIE MEINIGE

Legt man die Hand jetzt auf die Gummiwaren?
Erinnre, Claire, dich an deine Pflicht!
Das geht nicht so wie in den letzten Jahren:
Du bist steril, und du vermehrst dich nicht!

Wohlauf! Wohlan! Zu Deutschlands Ruhm und Ehren!
Vorbei ist nun der Liebe grüner Mai –
da hilft nun nichts: du mußt etwas gebären,
einmal, vielleicht auch zweimal oder drei!

Wir Deutschen sind die Allerallerersten,
voran der Kronprinz als Eins-A-Papa.
Der Gallier faucht – wir haben doch die mehrsten,
und hungern sie, mein Gott, sie sind doch da!

Denn sieh: die Babys brauchen Medizinen
und manchmal auch ein weiß Getöpf aus Ton,
Gebäck, das Milchgetränk – man kauft es ihnen,
und dann vor allem, Kind, die Konfektion!

Und wer soll in des Kaisers Röcken dienen,
umbrüllt vom Leutnant und vom General?
Stell du das her: es muß nur maskulinen
Geschlechtes sein – der Schädel ist egal.

Ins Bett! Hier hast du deine Wickelbinden!
Schenk mir den Leo nebst der Annmarei!
Und zählt man nach, wird man voll Freude finden
sechzig Millionen, und von uns
die zwei!

FÜR MARY

Gibst du dich keinem –? Bist du nur blond und kühl?
Demütigt dich ein starkes, heißes Gefühl?
Wir sind allein. –

Jeder ist so vom andern durch Weiten getrennt,
daß er nicht weiß, wo es lodert und flammt und brennt –
Wir sind allein. –

Selten nur springt ein Funke von Blut zu Blut,
bringt zur Entfaltung, was sonst in der Stille ruht –
Wir sind allein. –

Aber einmal – kann es auch anders sein –
Einmal gib dich, – und, siehst du, dann wird aus zwein:
Wir beide –
Und keiner ist mehr allein. –

Der Tauber ruckt zur Taube,
der Herr Baubau liebt Frau Baubau;
es balzt auf grüner Laube
Frau Nachtigall im Abendblau.
Selbst die dicken fetten Kröten
krampfen sich in Liebesnöten –
Amor läßt sie nicht in Ruh –
Ja, wozu?
wozu?
wozu? –

Der Mensch, dies Lebewesen
(wies scheint, vom lieben Gott gemacht),
macht nicht viel Federlesen
und küßt fast jede liebe Nacht.
Selbst Klein-Peter wird recht eitel,
bügelt sorgsam sich den Scheitel,
zwängt sich in die lacknen Schuh –
Ja, wozu?
wozu?
wozu? –

Wir sind doch Marionetten,
das Blut, es schreit, wir beugen uns
in goldene Liebesketten
bei Fräulein Hinz und Fräulein Kunz.
Warum denk ich nur das eine:
liebe, hohe, schlanke Beine –
warum fühl ich immer: Du...
Ja, wozu?
wozu?
wozu?

BEKEHRUNG

Du spukst und beißt und bist so böse
und runzelst Stirn und Augenbraun –
und wenn ich dir das Schuhband löse,
willst du mir nicht ins Auge schaun.
Du bist sonst lieb, ein weiches Schätzchen –
jetzt aber Feind im Séparée...
Und alles durch das eine Sätzchen:
On n'est jamais le premier.

Das ist kein Schimpf. Es gibt so viele,
so viele Männer auf der Welt,
und es gibt viele Liebesspiele
(was jedem Mädchen wohl gefällt).
Da reißt nun nichts. Man bleibt wie immer,
man weiß das Liebes A-B-C,
ein Jungfräulein... und doch ein Schimmer...
on n'est jamais le premier.

Man wills auch nicht.
Von Blondheit trunken
will man vergessen, wer man ist.
In eine weiße Brust versunken
pfeift man auf alle Liebeslist.
Man hat dich lieb. Du sollst nicht grollen,
du Schrumpelhexe, Zauberfee –,
laß ab vom Mäulchenziehn, vom Schmollen:
Man glaubts.
On est le premier. –

Das ist das tiefste Wesen aller Frauen:
sich in das eigene Bildnis zu versenken,
sich spiegelnd zu genießen und zu denken:
Ich bin, ich wirke, und ich darf mir trauen –

Ich will dir einen kleinen Spiegel schenken.
Du sollst dich rasch-kokett darin beschauen;
wie prüft so schnell ein Blick aus deinen blauen
und lustigen Augen (die den Durstigen tränken)!

Du bist es anders, aber noch einmal.
Dich grüßt dein Bild – ganz kann es dir nicht gleichen –
wo rechts ist, ist dort links – und doch der Strahl
der so geliebten Linien, Züge, Zeichen...
Du Bildnis meiner selbst, du sollst nicht weichen:
Denn du bist ich, nur anders, noch einmal. –

DER TYRANN

Der fette Oberkönig Peter
sitzt stolz auf seinem Atlasthron;
der Bauch: ein dicker Gasometer,
das übrige: du weißt es schon.

Der Hofstaat flüstert: «Seine Hoheit
sind heute ganz besonders satt.
Es wäre eine Herzensroheit,
ihn zu bewegen. Er ist matt.»

Der fette Oberkönig Peter
bohrt sinnend in der Nase Grund.
Der Frühstücksschweinebraten, steht er
ihm schon am Hals? (Wie ungesund!)

Da rauscht durch eine Tür die Gattin,
ein Szepter poltert aufs Parkett –
und schwuppdiwupps! – die Blonde hat ihn
ganz aufgebracht aus Ruh und Fett.

Der fette Oberkönig Peter
schnauft emsig aus dem Herrscherbau.
Und klein, bescheiden, artig geht er
im Park an ihrer Seite später – –
Ich sag es ja: die Frau, die Frau ...!

Drei Irre gingen in den Garten
und wollten auf die Antwort warten.

Der erste Irre sprach:
«O Freud!
Hat dich noch niemals nicht gereut,
daß du Schüler hast? Und was für welche –?
Sie gehen an keinem vorüber, die Kelche.
Ich kenne ja wirklich allerhand
als Mitglied vom Deutschen Reichsirrenverband –
aber die alten Doktoren sind mir beinah lieber
als das Getue dieser
Ja.»

Der zweite Irre sprach:
«Schmecks.
Ich habe hinten einen Komplex.
Den hab ich nicht richtig abreagiert,
jetzt ist mir die Unterhose fixiert.
Und ich verspüre mit großer Beklemmung
rechts eine Hemmung und links eine Hemmung.
Vorn hängt meine ältere Schwester und
in der Mitte bin ich ziemlich gesund.
Ja.»

Der dritte Irre sprach:
«Wenn
heut einer mal muß, dann sagt ers nicht, denn
er umwickelt sich mit düstern Neurosen,
mit Analfunktionen und Stumpfdiagnosen –»
(«Ha! – Stumpf!» riefen die beiden andern Irren,
konnten den dritten aber nicht verwirren.
Der fuhr fort:)

«Vorlust, Nachlust und nächtliches Zaudern –
es macht so viel Spaß, darüber zu plaudern!
Die Fachdebatte – welch ein Genuß! –
ist beinah so schön wie ein
Ja.»

Die drei Irren sangen nun im Verein:
«Wir wollen keine Freudisten sein!
Die jungen Leute, die davon kohlen,
denen sollte man käftig das Fell versohlen.
Erreichen sie jemals das Genie?
O na nie –!

Jeder Jüngling von etwas guten Manieren
geht heute mal Muttern deflorieren.
Jede Frau, die in die Epoche paßt,
hat schon mal ihren Vater gehaßt.
Und die ganze Geschichte stammt aus Wien,
und darum ist sie besonders schien –!

Wir drei Irre sehen, wie Liebespaare
sich gegenseitig die schönsten Haare
spalten – und rufen jetzt rund und nett:
Rein ins Bett oder raus aus dem Bett!

Keine Tischkante ohne Symbol und kein Loch ...
Wie lange noch –? Wie lange noch –?»

Drei Irre standen in dem Garten
und täten auf die Antwort warten.

Magda spricht. Arthurchen hört zu.

MAGDA (presto)
«Gott, Sie verstehen doch was vom Theater – endlich mal einer, der was vom Theater versteht. Ich werde Ihnen das also ganz genau erzählen.

Die Leute hatten zunächst die Straub engagiert, die sollte den Dragonerrittmeister spielen. Ich die Lena. Ich habe gesagt, neben einer Hosenrolle komm ich nicht raus. Ich komme doch nicht neben einer Hosenrolle raus –! Mit mir kann man das nicht machen. Wenn ich mir mal was in den Kopf gesetzt habe, alle meine Freunde sagen, ich bin so eigensinnig, und das ist auch wahr. So bin ich eben. Nicht wahr, Sie finden das auch –? Nicht wahr? Ja. Und da habe ich dem Direktor gesagt, ich sage, wenn ich die Lena nicht spielen darf, dann schmeiß ich ihm seinen Kram vor die Füße. Papa sagt auch... Finden Sie richtig, nicht wahr –? Ja. Da hat der Direktor natürlich nachgegeben, soo klein war er, ich kenn doch die Schwester von dem Kammergerichtsrat Bonhoeffer, der der Onkel von seinem Geldgeber ist – wissen Sie übrigens,

ARTHURCHEN (denkt)
Das kann man wohl sagen, daß ich was vom Theater verstehe – das hat sie ganz hübsch gesagt. Natürlich versteh ich was vom Theater. Nu leg mal los.

Sie ist ja doch pikant, sie hat was. Nette Beine. Ob sie einen Büstenhalter trägt? Nein, sie trägt wohl keinen. Wenn sie schnell spricht und dabei lacht, dann hat sie so ein nettes Fältchen um die Augen. Sie sollte sich übrigens die Wimpern nicht färben, das steht ihr gar nicht. Aber eine nette Person. Eigentlich... Wer hat die eigentlich –? Na ja, Franz – aber das füllt sie doch nicht aus! Dabei spricht sie immer von Papa und Mama, wie macht sie das mit dem Ausgehn? Lebt sie zu Hause? Wenn sie auch zu Hause lebt, das kann man arrangieren...

Die Schwester von dem Kammergerichtsrat? ein übles

daß Klöpfer die neue Rolle nicht spielen will? Er hat gesagt, so einen Drecktext spricht er nicht. Klöpfer geht zum 1. Juni auf Tournee. Ich sollte erst mit, aber ich mach mir nichts aus Tourneen. Gott, ich hätts ja vielleicht getan – aber wenn jetzt die neue Trustdirektion kommt, dann werden wir ja sehn! Ich hab in diesen Sachen so was Kindliches. Ich bin überhaupt ein großes Kind. Finden Sie nicht auch –? Nicht wahr? Ja. Kennen Sie Gerda, die blonde Gerda? Die, die 'n Verhältnis mit der Frau Petschaft hat – na ja, sie hat auch 'n Freund, aber bloß so nebenbei. Der Freund weiß das, natürlich. Mit mir hat sie... ach, Sie sind 'n gräßlicher Mensch – was Sie immer alles gleich denken! Die Gerda ist völlig talentlos. Und frech ist die Person –! Das Gretchen will sie spielen. Was sagten Sie –? Nein. Ja. Ich meine: die Frau darf das einfach nicht spielen. Geht auch gar nicht, weil die neue Kombination Fischer-Hirsch dagegen ist. Und wenn die Kombination nicht dagegen wäre – Himmel, es ist sechs Uhr! Nein, wie man sich mit Ihnen verplaudert! Sie reden so nett und anregend... Grüß Gott, Doktorchen. Seins Aas. Wer weiß, ob die Leute überhaupt so viel Geld haben... Was hab ich denn heute für einen Schlips um? Sie guckt mir immer so nach dem Hals... Das ist doch eine neue Krawatte – hab ich da 'n Fleck...? Nein, das war wohl nichts. Wenn sie die Augen zumacht, sieht sie nett aus. A un certain moment – stand neulich in dem Roman. So sieht sie dann aus. Nett. Sie kann doch sehr lustig sein. Es kann doch sehr lustig werden. «Ja, das finde ich auch. Gewiß, gnädiges Frollein.» Reizende Person. Wie spät mag das sein? Sie erzählt ja 'n bißchen viel. Aber jetzt kann ich nicht nach der Uhr sehn. Verdammt, die Uhr im Salon kann man von hier aus auch nicht sehn. Ich wer mal so ganz nongschalang aufstehn... Sieht man die Uhr auch nicht. Die Gerda –? Die Gerda mit ihr zusammen – wär gar nicht übel. Was ist das fürn Parfum, das sie hat? Was ich gesagt habe? Ich hab doch gar nichts gesagt. Mein Gott, spricht die Frau! Mein Gott – aber man müßte sehen, zu irgendeinem Schluß zu kommen, so oder so... Schnupfst du eigentlich Kokain, mein Engel? Hoffentlich nicht. Sechs? Schockschwernot, Hilde wartet nie so lange. Und nachher ist die nicht bös – aber ich muß fort. Auf baldiges –»

Wohnung zu, und ich habe keinen Schlüssel. Na, dann diese hier. Bin ich heute abend frei? Ja. Sind Sie vielleicht heute abend... «Auf Wiedersehn!» Wupp. Jetzt ist sie weg.

ZWEI SEELEN

Ich, Herr Tiger, bestehe zu meinem Heil
aus einem Oberteil und einem Unterteil.

Das Oberteil fühlt seine bescheidene Kleinheit,
ihm ist nur wohl in völliger Reinheit;
es ist tapfer, wahr, anständig und
bis in seine tiefsten Tiefen klar und gesund.
Das Oberteil ist auch durchaus befugt, Ratschläge zu erteilen
und die Verbrechen von andern Oberteilen
zu geißeln – es darf sich über die Menschen lustig machen,
und wenn andre den Naseninhalt hochziehn, darf es lachen.

Soweit das.
Aber, Dunnerkeil,
das Unterteil!
Feige, unentschlossen, heuchlerisch, wollüstig und verlogen;
zu den pfinstersten Pfreuden des Pfleisches fühlt es sich
hingezogen –
dabei dumpf, kalt, zwergig, ein greuliches
pessimistisches Ding: etwas ganz und gar Abscheuliches.
Nun wäre aber auch einer denkbar – sehr bemerkenswert! –,
der umgekehrt.

Der in seinen untern Teilen nichts zu scheuen hätte,
keinen seiner diesbezüglichen Schritte zu bereuen hätte –
ein sauberes Triebwesen, ein ganzer Mann und
bis in seine tiefsten Tiefen klar und gesund.

Und es wäre zu denken, daß er am gleichen Skelette
eine Seele mit Maukbeene hätte.

Was er nur andenkt, wird faulig-verschmiert;
sein Verstand läuft nie offen, sondern stets maskiert;
sogar wenn er lügt, lügt er; glaubt sich nichts, redet sichs aber ein –
und ist oben herum überhaupt ein Schwein.

Vor solchem Menschen müssen ja alle, die ihn begucken,
vor Ekel mitten in die nächste Gosse spucken!
Da striche auch ich mein doppelkollriges Kinn
und betete ergriffen: «Ich danke dir, Gott, daß ich bin, wie ich
bin!»

Was aber Menschen aus einem Gusse betrifft in der schönsten der
Welten –:
der Fall ist äußerst selten.

Wir Männer aus Berlin und Neukölln,
wir wissen leider nicht, was wir wölln.
Mal...

Mal konzentrieren wir uns auf die eine,
spielen mit ihr: die oder keine,
legen uns fest, ohne Bedenken,
wollen auch einem Söhnlein das Leben schenken,
verlegen den Sitz der Seele, als Gatte,
oberhalb des Tisches Platte –
Und sind überhaupt sehr monogam.

Wie das so kam...

Da lockten die andern. Ihrer sind viele.
Sie lockten zu kindlichem Zimmerspiele
– Bewegung lächerlich, Preis bedeutend –
Immer nur eine Glocke läutend?
Immer an eine Frau gebunden?
So sollen uns alle Lebensstunden
verrinnen? Ohne boshafte Feste?
Liegt nicht draußen das Allerbeste?
Mädchen? Freiheit? Frauen nach Wahl –?

Gesagt, getan.
Mal...

Mal trudeln wir durch bläuliche Stunden,
tun scheinbar an fröhlichem Wechsel gesunden;
können es manchmal gar nicht fassen,
welch feine Damen bei uns arbeiten lassen.
Und jede Seele, die eine hatte,
liegt unterhalb des Tisches Platte.

Und sind überhaupt sehr polygam.

Wie das so kam…

So herumwirtschaften? Lebenslänglich?
Plötzlich werden wir recht bedenklich.
Sehnen uns beinah fiebrig zurück
nach Einsamkeit und Familienglück.
Und fangen als ein ganzer Mann
die Geschichte wieder von vorne an.

Wir Männer aus Berlin und Neukölln,
wir wissen leider nicht, was wir wölln.
Wir piesacken uns und unsre Fraun;
uns sollten sie mal den Hintern aushaun.
  Bileams Esel, ich und du.
  Gott schenke uns allen die ewige Ruh.
    Amen.

Das war in Hamburg, wo jede vernünftige Reiseroute aufzuhören hat, weil es die schönste Stadt Deutschlands ist – und es war vor dem dreiteiligen Spiegel. Der Spiegel stand in einem Hotel, das Hotel stand vor der Alster, der Mann stand vor dem Spiegel. Die Morgen-Uhr zeigte genau fünf Minuten vor einhalb zehn.

Der Mann war nur mit seinem Selbstbewußtsein bekleidet, und es war jenes Stadium eines Ferientages, wo man sich mit geradezu wollüstiger Langsamkeit anzieht, trödelt, Sachen im Zimmer umherschleppt, tausend überflüssige Dinge aus dem Koffer holt, sie wieder hineinpackt, Taschentücher zählt und sich überhaupt benimmt wie ein mittlerer Irrer: es ist ein geschäftiges Nichtstun, und dazu sind ja die Ferien auch da. Der Mann stand vor dem Spiegel.

Männer sind nicht eitel. Frauen sind es. Alle Frauen sind eitel. Dieser Mann stand vor dem Spiegel, weil der dreiteilig war und weil der Mann zu Hause keinen solchen besaß. Nun sah er sich, Antinous mit dem Hängebauch, im dreiteiligen Spiegel und bemühte sich, sein Profil so kritisch anzusehen, wie seine egoistische Verliebtheit das zuließ... eigentlich... und nun richtete er sich ein wenig auf – eigentlich sah er doch sehr gut im Spiegel aus, wie –? Er strich sich mit gekreuzten Armen über die Haut, wie es die tun, die in ein Bad steigen wollen... und bei dieser Betätigung sah sein linkes Auge ganz zufällig durch die dünne Gardine zum Fenster hinaus. Da stand etwas.

Es war eine enge Seitenstraße, und gegenüber, in gleicher Etagenhöhe, stand an einem Fenster eine Frau, eine ältere Frau, schiens, die hatte die drübige Gardine leicht zur Seite gerafft, den Arm hatte sie auf ein kleines Podest gelehnt, und sie stierte, starrte, glotzte, äugte gerade auf des Mannes gespiegelten Bauch. Allmächtiger.

Der erste Impuls hieß den Mann vom Spiegel zurücktreten, in die schützende Weite des Zimmers, gegen Sicht gedeckt. So ein Frauenzimmer. Aber es war doch eine Art Kompliment, das war unleugbar; denn wenn jene auch dergleichen vielleicht immer zu tun pflegte – es war eine Schmeichelei. «An die Schönheit.» Unleugbar war das so. Der Mann wagte sich drei Schritt vor.

Wahrhaftig: da stand sie noch immer und äugte und starrte. Nun – man ist auf der Welt, um Gutes zu tun... und wir können uns doch noch alle Tage sehen lassen – ein erneuter Blick in den Spiegel bestätigte das – heran an den Spiegel, heran ans Fenster!

Nein. Es war *zu* schéhnierlich... der Mann hüpfte davon, wie ein junges Mädchen, eilte ins Badezimmer und rasierte sich mit dem neuen Messer, das glitt sanft über die Haut wie ein nasses Handtuch, es war eine Freude. Abspülen («Scharf nachwaschen?» fragte er sich selbst und bejahte es), scharf nachwaschen, pudern... das dauerte gut und gern seine zehn Minuten. Zurück. Wollen doch spaßeshalber einmal sehen –.

Sie stand wahr und wahrhaftig noch immer da; in genau derselben Stellung wie vorhin stand sie da, die Gardine leicht zur Seite gerafft, den Arm aufgestützt, und sah regungslos herüber. Das war denn doch – also, das wollen wir doch mal sehen.

Der Mann ging nun überhaupt nicht mehr vom Spiegel fort. Er machte sich dort zu schaffen, wie eine Bühnenzofe auf dem Theater; er bürstete sich und legte einen Kamm von der rechten auf die linke Seite des Tischchens; er schnitt sich die Nägel und trocknete sich ausführlich hinter den Ohren, er sah sich prüfend von der Seite an, von vorn und auch sonst... ein schiefer Blick über die Straße: die Frau, die Dame, das Mädchen – sie stand noch immer da.

Der Mann, im Vollgefühl seiner maskulinen Siegerkraft, bewegte sich wie ein Gladiator im Zimmer, er tat so, als sei das Fenster nicht vorhanden, er ignorierte scheinbar ein Publikum, für das er alles tat, was er tat: er schlug ein Rad, und sein ganzer Körper machte fast hörbar: Kikeriki! dann zog er sich, mit leisem Bedauern, an.

Nun war da ein manierlich bekleideter Herr, – die Person stand doch immer noch da! –, er zog die Gardine zurück und öffnete mit leicht vertraulichem Lächeln das Fenster. Und sah hinüber.

Die Frau war gar keine Frau.

Die Frau, vor der er eine halbe Stunde lang seine männliche Nacktheit produziert hatte, war – ein Holzgestell mit einem Mantel darüber, eine Zimmerpalme und ein dunkler Stuhl. So wie man im nächtlichen Wald aus Laubwerk und Ästen Gesichter komponiert, so hatte er eine Zuschauerin gesehen, wo nichts gewesen war als Holz, Stoff und eine Zimmerpalme.

Leicht begossen schloß der Herr Mann das Fenster. Frauen sind eitel. Männer –? Männer sind es nie.

LIEBESPAAR AM FENSTER

Dies ist ein Sonntag vormittag;
wir lehnen so zum Spaße
leicht ermüdet zum Fenster hinaus
und sehen auf die Straße.
    Die Sonne scheint. Das Leben rinnt.
    Ein kleiner Hund, ein dickes Kind...
    Wir haben uns gefunden
    für Tage, Wochen, Monate
        und für Stunden – für Stunden.

Ich, der Mann, denke mir nichts.
Heut kann ich zu Hause bleiben,
heute geh ich nicht ins Büro –
...an die Steuer muß ich noch schreiben...
    Wieviel Uhr? Ich weiß nicht genau.
    Sie ist zu mir wie eine Frau,
    ich fühl mich ihr verbunden
    für Tage, Wochen, Monate
        und für Stunden – für Stunden.

Ich, die Frau, bin gern bei ihm.
Von Heiraten wird nicht gesprochen.
Aber eines Tages will ich ihn mir
ganz und gar unterjochen.
    Die Dicke, daneben auf ihrem Balkon,
    gibt ihrem Kinde einen Bonbon
    und spielt mit ihren Hunden...
    So soll mein Leben auch einmal sein –
        und nicht nur für Stunden – für Stunden.

Von Kopf zu Kopf umfließt uns ein Strom;
noch sind wir ein Abenteuer.
Eines Tages trennen wir uns,
eine andere kommt ... ein neuer ...
Oder wir bleiben für immer zusammen;
dann erlöschen die großen Flammen,
Gewohnheit wird, was Liebe war.
Und nur in seltenen Sekunden
blitzt Erinnerung auf an ein schönes Jahr,
und an Stunden – an glückliche Stunden.

«Ja –!»
«Nein –!»
«Wer ist schuld?
                Du!»
«Himmeldonnerwetter, laß mich in Ruh!»
– «*Du* hast Tante Klara vorgeschlagen!
Du läßt dir von keinem Menschen was sagen!
Du hast immer solche Rosinen!
Du willst bloß, ich soll verdienen, verdienen –
Du hörst nie. Ich red dir gut zu …
Wer ist schuld –?
                Du.»
«Nein.»
«Ja.»

– «*Wer* hat den Kindern das Rodeln verboten?
Wer schimpft den ganzen Tag nach Noten?
Wessen Hemden muß ich stopfen und plätten?
Wem passen wieder nicht die Betten?
Wen muß man vorn und hinten bedienen?
Wer dreht sich um nach allen Blondinen?
                                        Du –!»
«Nein.»
«Ja.»
«Wem ich das erzähle …!
                        Ob mir das einer glaubt –!»
– «Und überhaupt –!»
                «Und überhaupt –!»
                                «Und überhaupt –!»

Ihr meint kein Wort von dem, was ihr sagt:
Ihr wißt nicht, was euch beide plagt.
Was ist der Nagel jeder Ehe?
Zu langes Zusammensein und zu große Nähe.

Menschen sind einsam. Suchen den andern.
Prallen zurück, wollen weiter wandern...
Bleiben schließlich... Diese Resignation:
Das ist die Ehe. Wird sie euch monoton?
Zankt euch nicht und versöhnt euch nicht:
Zeigt euch ein Kameradschaftsgesicht
und macht das Gesicht für den bösen Streit
lieber, wenn ihr alleine seid.

Gebt Ruhe, ihr Guten! Haltet still.
Jahre binden, auch wenn man nicht will.
Das ist schwer: ein Leben zu zwein.
Nur eins ist noch schwerer: einsam sein.

Erst gehst du umher und suchst an der Frau
das, was man anfassen kann.
Wollknäul, Spielzeug und Kätzchen – Miau –
du bist noch kein richtiger Mann.
  Du willst eine lustig bewegte Ruh:
  sie soll anders sein, aber sonst wie du...
    Dein Herz sagt:
      Max und Moritz!

Das verwächst du. Dann langts nicht mit dem Verstand.
Die Karriere! Es ist Zeit...!
Eine kluge Frau nimmt dich an die Hand
in tyrannischer Mütterlichkeit.
  Sie paßt auf dich auf. Sie wartet zu Haus.
  Du weinst dich an ihren Brüsten aus...
    Dein Herz sagt:
      Mutter.

Das verwächst du. Nun bist du ein reifer Mann.
Dir wird etwas sanft im Gemüt.
Du möchtest, daß im Bett nebenan
eine fremde Jugend glüht.
  Dumm kann sie sein. Du willst: junges Tier,
  ein Reh, eine Wilde, ein Elixier.
    Dein Herz sagt:
      Erde.

Und dann bist du alt.
Und ist es soweit,
daß ihr an der Verdauung leidet –:
dann sitzt ihr auf einem Bänkchen zu zweit,
als Philemon und Baucis verkleidet.
Sie sagt nichts. Du sagst nichts, denn ihr wißt,
wie es im menschlichen Leben ist...
Dein Herz, das so viele Frauen besang,
dein Herz sagt: «Na, Alte...?»
Dein Herz sagt: Dank.

DEIN LEBENSGEFÜHL

Dein tiefstes Lebensgefühl –
wann hast du das gehabt?
Mit einem Freund?
Immer allein.

Einmal, als du an der Brüstung des Holzbalkons standest,
da lag das Schloß Gripsholm, weit und kupplig,
und da lag der See
und Schweden,
und die staubige Waldecke –
und auf der dunkelgrün etikettierten Platte sang ein Kerl im
Cockney-Englisch: «What do you say …?»
und da fühltest du:
Ich bin.

So war dein Lebensgefühl.
Mit einer Frau?
Immer allein.

Einmal, als du nachts nach Hause gekommen bist
von einer vergeblichen Attacke
bei der großen Blonden,
elegant-blamiert, literarisch hinten runtergerutscht,
gelackt, abgewinkt: danke, danke!
da standest du vor deinem runden Nachttisch
und sahst in das rosa Licht der Lampe
und tatest dir leid, falsch leid, leid
und fühltest:
Ich bin.

So war dein Lebensgefühl …
In der Masse?
Immer allein.

Es ist so selten, das Lebensgefühl.
Casanova hatte es einmal.
Vierter Band.
Er sieht bei seiner Geliebten Rosalinde
zwei Kinder, die er ihr vor Jahren gemacht hat,
schlafend, in einem Bett, Mädchen und Knabe.
Sie zeigt sie ihm,
hebt die Bettdecke hoch, die junge Sau,
die Mutter,
um ihn anzugeilen,
um ihm Freude zu machen,
was weiß ich.
Und er sieht:
wie der Knabe im Schlummer seine Hand auf den Bauch des
Mädchens gelegt hat.
«Da empfand ich»,
schreibt Casanova,
«meine tiefste Natur.»
Das war sein Lebensgefühl.

Verschüttet ist es bei dir.
Du wolltest leben
und kamst nicht dazu.
Du willst leben
und vergißt es vor lauter Geschäftigkeit.
Du willst das spüren, was in dir ist,
und hast eifrig zu tun mit dem, was um dich ist –
Verschüttet ist dein Lebensgefühl.

Wenn du tot bist, wird es dir sehr leid tun.
Noch ist es Zeit –!

1. Die geschiedene Frau

Ja... da wär nun also wieder einer...
das ist komisch!
Vor fünf Jahren, da war meiner;
dann war eine ganze Weile keiner...
Und jetzt geht ein Mann in meiner Wohnung um,
findet manches, was ich sage, dumm;
lobt und tadelt, spricht vom Daseinszwecke
und macht auf das Tischtuch Kaffeeflecke –
Ist das alles nötig –?

Ja... er sorgt. Und liebt. Und ists ein trüber
Morgen, reich ich meine Hand hinüber...
Das ist komisch:
Männer... so in allen ihren Posen...
Und frühmorgens, in den Unterhosen...
Plötzlich wohnt da einer auch in meiner Seele.
Quält mich; liebt mich; will, daß ich ihn quäle;
dreht mein Leben anders, lastet, läßt mich fliegen –
siegt, und weil ich klug bin, laß ich mich besiegen...
Habe ich das nötig –?

Ich war ausgeglichen. Bleiben wir allein,
...komisch...
sind wir stolz. So sollt es immer sein!
Flackerts aber, knistern kleine Flammen,
fällt das alles jäh in sich zusammen.
Er braucht uns. Und wir, wir brauchen ihn.
Liebe ist: Erfüllung, Last und Medizin.
Denn ein Mann ist Mann und Gott und Kind,
weil wir so sehr Hälfte sind.

Aber das ist schließlich überall:
der erste Mann ist stets ein Unglücksfall.
Die wahre Erkenntnis liegt unbestritten
etwa zwischen dem zweiten und dem dritten.
Dann weißt du. Vom Wissen wird man nicht satt,
aber notdürftig zufrieden, mit dem, was man hat,
Amen.

2. Eine Frau denkt

Mein Mann schläft immer gleich ein... oder er raucht seine
Zeitung
und liest seine Zigarre
...Ich bin so nervös... und während ich an die Decke starre,
denke ich mir mein Teil.
Man gibt ihnen so viel, wenigstens zu Beginn. Sie sind es nicht
wert.
Sie glauben immer, man müsse hochgeehrt
sein, weil man sie liebt.
Ob es das wohl gibt:
ein Mann, der so nett bleibt, so aufmerksam
wie am ersten Tag, wo er einen nahm...?
Einer, der Freund ist und Mann und Liebhaber; der uns mal neckt,
mal bevatert, der immer neu ist, vor dem man Respekt
hat und der einen liebt... liebt... liebt...
ob es das gibt?

Manchmal denke ich: ja.
Dann sehe ich: nein.
Man fällt immer wieder auf sie herein.
Und ich frage mich bloß, wo diese Kerls ihre Nerven haben.
Wahrscheinlich... na ja. Die diesbezüglichen Gaben
sind wohl ungleich verteilt. So richtig verstehen sie uns nie.
Weil sie faul sind, murmeln sie was von Hysterie.
Ist aber keine. Und wollen wir Zärtlichkeit,

dann haben die Herren meist keine Zeit.
Sie spielen: Symphonie mit dem Paukenschlag.
Unsere Liebe aber verzittert, das ist nicht ihr Geschmack.
Hop-hop-hop – wie an der Börse. Sie sind eigentlich nie
mehr als erotische Statisterie.
Die Hauptrolle spielen wir. Wir singen allein Duett,
leer in der Seele, bei sonst gut besuchtem Bett.

Mein Mann schläft immer gleich ein, oder er dreht sich
um und raucht seine Zigarre.
Warum? Weil...
Und während ich an die Decke starre,
denke ich mir mein Teil.

3. Die Nachfolgerin

Ich hab meinen ersten Mann gesehn –
der ging mit einer!
Hütchen, Rock und Bluse (Indanthren)
und zwei Kopf kleiner!
Sie muß ihn wohl ins Büro begleiten...
Über den Geschmack ist nicht zu streiten.
Na, herzlichen Glückwunsch!

Sein Gehirn ist bei der Liebeswahl
ganz verkleistert;
wenn er siegt, dann ist er allemal
schwer begeistert.
Ob Languettenhemd, ob teure Seiden –
seinetwegen kann man sich in Säcke kleiden...
Na, herzlichen Glückwunsch!

Frau ist Frau. Wie glücklich ist der Mann,
dem das gleich ist!
Und für sowas zieht man sich nun an!

Als ob man reich ist!
Das heißt: für ihn...?
Wir ziehen unsre Augenbrauen
für und gegen alle andern Frauen.
Immerhin erwart ich, daß ers merken kann;
ich will fühlen, daß ich reizvoll bin.
Dreifach spiegeln will ich mich: im Glas, im Neid, im Mann.
Und der guckt gar nicht hin.

Liebe kostet manche Überwindung...
Männer sind eine komische Erfindung.

4. Lamento

Der deutsche Mann
Mann
Mann –
das ist der unverstandene Mann.
Er hat ein Geschäft, und er hat eine Pflicht.
Er hat einen Sitz im Oberamtsgericht.
Er hat auch eine Frau – das weiß er aber nicht.
Er sagt: «Mein liebes Kind...» und ist sonst ganz vergnügt –
Er ist ein Mann. Und das
genügt.

Der deutsche Mann
Mann
Mann –
das ist der unverstandene Mann.
Die Frau versteht ja doch nichts, von dem, was ihn quält.
Die Frau ist dazu da, daß sie die Kragen zählt.
Die Frau ist daran schuld, wenn ihm ein Hemdknopf fehlt.
Und kommt es einmal vor, daß er die Frau betrügt:
Er ist ein Mann. Und das
genügt.

Der deutsche Mann
Mann
Mann –
das ist der unverstandene Mann.
Er gibt sich nicht viel Mühe, wenn er die Frau umgirrt.
Und kriegt er nicht die eine, kommt die andere
angeschwirrt.
Daher der deutsche Mann denn stets befriedigt wird.
Hauptsache ist, daß sie bequem und sich gehorsam fügt.
Denn er ist Mann. Und das
genügt.

Der deutsche Mann
Mann
Mann –
das ist der unverstandene Mann.
Er flirtet nicht mit seiner Frau. Er kauft ihr doch den Hut!
Sie sieht ihn von der Seite an, wenn er so schnarchend ruht.
Ein kleines bißchen Zärtlichkeit – und alles wäre gut.
Er ist ein Beamter der Liebe. Er läßt sich gehn.
Er hat sie doch geheiratet – was soll jetzt noch geschehn?
Der Mensch, der soll nicht scheiden, was Gott
zusammenfügt.
Er ist ein Mann. Und das
genügt.

Zu seinen zahllosen Albernheiten und schlechten Angewohnheiten, die einen so nervös machen können... schließlich etwas Rücksicht kann ja ein Mann auf seine Frau wohl nehmen, finde ich... also ich finde das wenigstens... zu seinen dummen Angewohnheiten gehört die, eine Tischklingel oder ein Glas, das er angestoßen hat, ruhig ausklingen zu lassen! Man legt doch die Hand darauf – Mama hat das auch immer getan. Wenn etwas bei Tisch klingt, dann legt man die Hand darauf, gleich, sofort – und dann ist es still. Er läßt die Gläser ausklingen... Rasend kann einen das machen! So, wie er morgens immer beim Rasieren so albern mit dem Pinsel klappert, also jeden Morgen, den Gott werden läßt, so stößt er mit seinen ungeschickten dicken Händen mal an die Klingel, mal an sein Glas; bing, macht das dann, diiiiing – ganz lange. So ein hoher, giftiger Ton, als ob einen was auslacht. «Leg doch die Hand darauf!» sage ich. «Du bist so nervös heute», sagt er. Dann lege ich die Hand aufs Glas. Nervös...

Ja, ich bin nervös. Doktor Plaschek sagts auch. Er weiß, warum. Ich weiß auch, warum.

Seit heute mittag weiß ich es, ganz genau.

Da hat er wieder an das Glas gestoßen, und das Glas hat angefangen, zu singen, und ich habe ihn bloß angesehn, ich habe ihn bloß angesehn... Er merkt ja nichts. Und da habe ich das Glas nicht zum Schweigen gebracht; ich habe es ausklingen lassen... ich glaube: das ist in dieser Ehe der erste Ton gewesen, der wirklich ausgeklungen hat. Und das Glas hat ganz lange gesungen, ganz, ganz lange: erst böse, und dann voll und laut, und dann mittellaut, und dann sanft und leise, leise und immer leiser... Und da habe ich es plötzlich gewußt. Manchmal hat man doch so blitzschnell irgendwelche Erkenntnisse, da weiß man denn alles, wie es so ist. Das Glas hat vielleicht eine halbe oder eine dreiviertel Minute geklungen und gesungen, und in dieser knappen Spanne Zeit habe ich es gewußt. Man denkt so schnell.

Geklappt hat das ja von Anfang an nicht. Gott, warum hat

man geheiratet – das geht heute manchmal so... ich weiß es nicht. Ich war nicht einmal enttäuscht; ich war gar nichts. Es war etwa ungefähr so, wie wenn einer in einen See springt und hat schon den Rückenschauer wegen des kalten Wassers, und dann ist es ganz lau. Ein dummes Gefühl. Und das ist von Jahr zu Jahr schlimmer geworden; das mit dem Kind hat nichts geholfen, gar nichts. Das ist mein Kind, aber was das mit ihm zu tun hat... Und manchmal denke ich, also Gott verzeih mir die Sünde: das ist ein fremder Mensch, ein neuer Mensch – so wie das Kind bin ich doch gar nicht, er ist auch nicht so – das ist ein fremder, fremder, kleiner Mensch.

Mit dem Mann ist kein Auskommen. Nein, wir zanken uns gar nicht, nie hat es ein böses Wort gegeben, nicht einmal das. Keine Höhen und keine Tiefen: Tiefebene. Die Norddeutsche Tiefebene... das haben wir in der Schule gelernt... Wenn man einen einzigen Mann kennt, sagt Helen immer, dann kennt man überhaupt keinen. Kann sein. Aber daneben einen andern... ich mag das nicht. Na ja, Feigheit, meinetwegen; aber ich mag das nicht. Immer noch singt das Glas.

Mein Mann singt nicht. Er ist in der tiefsten Seele unmusikalisch. Er ist mir doch nun so nahe – und ist so weit weg, so weit weg... Wenn er zärtlich ist, das kommt alle halbe Jahre einmal vor, dann ist es bestimmt an der falschen Stelle. Und wenn ich meine Katzenstunde habe, wo ich gern schnurren möchte, dann ist er nicht da, oder wenn er da ist, dann spricht er über sein Geschäft, oder er klapst mir auf den Rücken, eine schreckliche Angewohnheit... er versteht nicht, daß ich bloß schnurren will, und daß mir nur jemand über das Fellchen streichen soll. Er weiß das nicht. Wen er wohl früher als Freundin gehabt hat?

Und jetzt klingt das Glas ganz leise. Und da hab ich gewußt: ich bin wohl auch ein bißchen schuld an der Sache. Also nicht viel – aber ein kleines bißchen. Es ist ja wahr, daß ich schon als Mädel meine Rosinen im Kopf hatte, wie Mama das nannte. Zum Theater habe ich gehen wollen... Herrgott, ich habe wirken wollen, auf Männer und auf Frauen und auf Menschen überhaupt... Und weil es mit einem Beruf nicht gegangen ist, da habe ich gedacht: mit der Kunst. Und das war dann nichts; Papa hat es nicht erlaubt. Jetzt spukt das in mir herum ... und ich bin ein bißchen sauer geworden, in all der Zeit, und es ist so schön, einen Mann zu haben, dem man die ganze Schuld geben kann. Und ich habe ihn gar nicht zu mir gezogen ... da hat er denn seelisches Fett angesetzt, und es ist immer schlimmer geworden, und ich war gradezu froh, wenn er was falsch gemacht hat. Ich habe darauf gewartet, daß er mit dem Rasierzeug klappert, damit ich wieder einen Anlaß habe, ihn zu hassen und unglücklich zu sein. Und das hat er wohl gemerkt. Und so ist das jetzt. Diing – ganz leise singt das Glas. Wir sind schuld. Wir sind beide schuld.

Soll ich nochmal von vorn anfangen? Kann ich nochmal von vorn anfangen? Scheidung? Auseinandergehen? Ein neuer Mann? Jetzt noch einen Beruf? Das Glas hat ausgeklungen, und ich werde wohl meinen Weg zu Ende gehn. Einen schweren Weg. Tausend und aber tausend Frauen gehen ihn, jeden Tag, und der leise Ton ihres unhörbaren Unglücks und ihres stummen Schmerzes dringt an mein Ohr – wenn ein Glas klingt.

Was wir sagen – was wir denken

Anmerkung:
Die *Uhu*-Seite zerfällt durch einen Querstrich in eine obere und in eine untere Hälfte.

Auf der oberen ist die Situation so dargestellt, wie sie sich wirklich abspielt; auf der unteren, etwa lila getönt, in einer schummrigen Traumatmosphäre so, wie die handelnden Personen sich gebärdeten, wenn sie sich ganz frei gehen ließen…

1. Bild

Oben:
Chef, hinter einem Schreibtisch – ernst, aber keineswegs unsympathisch. Vor ihm mit einem Aktenstück ein Prokurist, nicht übermäßig devot.

DER CHEF: «… Na, und was haben Sie nun gemacht?»

DER PROKURIST: «Ich habe den Leuten erklären lassen: Entweder ihr nehmt das Lager so, wie es da ist – oder ihr kriegt gar nichts.»

DER CHEF: «Halte ich nicht für richtig.»

DER PROKURIST: «Herr Direktor – die Leute können zahlen, sie wollen bloß nicht!»

DER CHEF: «Kein Mensch will heute zahlen, und kein Mensch kann heute zahlen. Die Maßnahme war falsch, Ihr Brief war falsch!»

DER PROKURIST: «Nach meinem Gefühl… also… man kann das selbstverständlich auch anders machen…»

DER CHEF: «Natürlich kann man das anders machen.»

DER PROKURIST: «Also schön – machen wirs anders…»

DER CHEF: «Wir schreiben – also das ist ja Wahnsinn, was Sie da haben schreiben lassen! Schreiben Sie einfach: das Lager kann zu den früheren Bedingungen übernommen werden. In einem Monat.»

DER PROKURIST: «Ja… das kann man vielleicht auch… Aber wir werden was erleben – ich meine…»

DER CHEF: «Wir werden gar nichts erleben, und basta!»
(Prokurist ab)

Unten:
Dieselben Personen, Chef und Prokurist, verachtungsvoll und wutverzerrt einander gegenüber, wild fuchtelnd.

DER CHEF: «Daß ich diesen Trottel in meinem Betrieb halten muß...»

DER PROKURIST: «Sie Ochse verstehen doch überhaupt nichts vom Geschäft. Wenn Sie mich nicht hätten –»

DER CHEF: «Alles bloß, weil mein Schwager diesen Menschen hier reingeschoben hat. Und von dem läßt sich meine Frau den Hof machen! Ich lad ihn nicht mehr ein!»

DER PROKURIST: «Keinen Schimmer hat dieser Esel. Nicht eine Kaffeebohne wird hier verkauft – wenn ich nicht wäre.»

DER CHEF: «Und blöd! Verärgert einem die Kundschaft mit seiner Arroganz – Briefe schreibt er wie ein Kongoneger. Wenn er bloß erst raus wäre!»

DER PROKURIST: «Kommt um halb elf morgens ins Büro und weiß alles besser! Keine Ahnung hat er! Wie der schon aussieht! Wie die Frau diesen Mann hat heiraten können, das ist mir direkt ein Rätsel! Du Hammel, – ich schick den Brief so raus... ich werde die Sache schon besorgen! Kamuff.»

DER CHEF: «Wenn er bloß erst raus wäre...!»

DER PROKURIST: «Den Mann sollten sie nicht ohne Wärter rumlaufen lassen.»

(ab)

2. Bild

Oben:
Bridgepartie von vier Damen. Spielpause. Alle in angeregter und netter Unterhaltung. Eine sehr schöne Frau; eine sehr häßliche; zwei Durchschnittstypen.

SÜDEN: «Jetzt, wo es vorbei ist, kann mans ja sagen: Sie hätten vielleicht besser nicht gleich reizen sollen!»

WESTEN: «Bridge ist nicht leicht...»

NORDEN: «Das war schon ganz richtig. Ganz richtig war das. Übrigens – Doktor Hennemeyer ist in Berlin!»

OSTEN: «Kenne ich gar nicht. Ich hab ihn nur einmal flüchtig gesehen...»

DIE DREI ANDERN: «Soooo –?»

OSTEN (sehr beiläufig): «Ja.»

SÜDEN: «Das Kleid, das Sie da anhaben, ist wieder ganz reizend. Lassen Sie noch immer bei der Düllberg arbeiten?»

NORDEN: «Nein. Das ist ein pariser Modell.»

WESTEN: «Kinder, es ist halb sieben – ich habe noch eine Verabredung – spielen wir weiter!»

Unten:

Dieselben vier Damen – sehr feindselig gegeneinander.

SÜDEN: «Du spielst, meine Liebe – so, wie du alles machst, was du machst... hervorragend dumm!»

WESTEN: «Ach, jetzt fängt sie wieder mit ihrem Geschwätz nach dem Spiel an! Dabei hat sie keinen Dunst von Bridge!»

NORDEN: «Wenn man so mies ist, soll man sich nicht hinsetzen und andern Leuten Bridge beibringen wollen! Dein Kerl, der Hennemeyer, ist in Berlin! Aber er kümmert sich nicht mehr um dich!»

OSTEN: «Das geht euch einen Schmarrn an. Er wird sich schon um mich kümmern! Übrigens pfeife ich auf den feinen Herrn!»

DIE DREI ANDERN: «Ach, guck mal an! Sie pfeift! Er wird dir was blasen! Eifersüchtig bist du – auf die Margot! Sie ist jünger. Und eleganter. Und hübscher.»

OSTEN: «Futterneid, meine Damen!»

SÜDEN: «Wo haben Sie denn diesen Ausverkaufsbowel her? Aussehen tun Sie damit –!»

NORDEN: «Und wenn ihr platzt: das ist ein pariser Modell!»

WESTEN: «Das Kleid hat Paris nie gesehn! Und selbst, wenn es eines aus Paris wäre: es weint an dir herunter! Also ich habe die Nase hier voll – noch eine Runde, und dann nichts wie weg!»

3. Bild

Oben:

Junger Mann und junge Dame, er mit Brille – in einem Boot. Er rudert. Sie steuert.

SIE: «Ach –?»

ER: «Ja. Meine Einstellung ist die, daß ich die Natur der Kunst bei weitem vorziehe ... finde ich.»

SIE: «Na, ich weiß doch nicht!»

ER: «Na, zum Beispiel die Musik – hören Sie gern Symphonien?»

SIE: «Ja ... nein ... doch, manchmal ...»

ER: «Also zum Beispiel die Unvollendete von Schumann ... also die ... sehen Sie –»

SIE: «Nein, nicht landen! Wir wollen zurückfahren ...»

ER: «Schon –?»

Unten:

Dieselben beiden Personen; der junge Mann beugt sich stürmisch über die Dame – sie wehrt ab.

SIE: «Huah – ist das langweilig!»

ER: «Jetzt sind wir schon das fünfte Mal auf dem Wasser, und es ist kein Weiterkommen. Wie lange soll das noch dauern? Agathe!»

SIE: «Erstens überhaupt nicht. Zweitens – wenn: mit so einem wie Ihnen?»

ER: «Wunderbar, diese Hände! Und der Hals! Du machst mich verrückt!»

SIE: «Mensch, hör bloß schon mit deinem Gequatsche über Musik auf! Außerdem kannst du nicht rudern!»

ER: «Wo ich doch so gern eine nette Freundin hätte! Agathe!»

SIE: «Na, landen auch noch! Damit er vielleicht wieder liebenswürdig wird! Das hat grade noch gefehlt – Marsch! Nach Haus!»

ER: «Schon? Agathe –!»

4. Bild

Oben:

Vortrag. Ein schöngeistiger Professor; Publikum, das scheinbar andächtig zuhört.

DER REDNER: «Ich ersehe aus Ihrer angespannten Aufmerksamkeit, daß Sie mir bis hierher völlig gefolgt sind. Ich komme nunmehr zu den Königsgräbern der achten ägyptischen Königsepoche...»

DAS PUBLIKUM: «– –»

Unten:

Dasselbe Bild. Der Redner ebenso wie oben – das Publikum: schlafend, flirtend, die Damen schminken sich, einer gibt seiner Nachbarin einen Kuß...

DER REDNER: «Ich habe selten einen solchen Auftrieb von Vollblutidioten gesehen! Wozu ihr eigentlich hergekommen seid – das weiß kein Mensch!»

DAS PUBLIKUM: «Ist das ein Trottel! – Dazu gibt man nun das teure Geld aus! – Langweilig bis dahinaus! – Eine reizende Person, da müßte man mal... – Dieser Lippenstift ist ein Malheur – Krrchch – – Die Leute reden hier so laut, daß man immer wieder aufwacht – Ist der Mann *noch* nicht fertig! – Hübscher Bengel, was starrt er bloß immer diese kleine Person da an; ich bin doch auch noch da! – Wie komme ich bloß hier raus? Hätte ich doch einen Eckplatz genommen! Der Mann hat keine Ahnung! – Krrchch – Das ist doch... da hinten sitzt doch Lissy und ihr Freund! Lissy! Lissy! – Schrecklich, daß bei solchen Vorträgen immer einer da ist, der redet – Schluß! Schluß! Schluß –!»

Die legitime Neigung zur Pornographie... «Sprechen Sie doch deutsch, Herr!»

Der verständliche Drang, auf der Liebesleiter von der Freude an einem schönen Frauenkörper bis zur Geilheit hinauf- und hinunterzuklettern, hat in den illustrierten Blättern Amerikas und Europas eine Hausse in Akten hervorgerufen, die in vielen Akten an einen Akt gemahnen. Soweit schön. Ich weiß auch, daß sich die Menschen nicht durch Knollen fortpflanzen und daß die Frage jenes alten Herrn, der im Walde ein Liebespaar belauschte: «Ja, macht man das denn immer noch...?» nicht so ganz berechtigt ist. Sie machen das, solange sie sind. Immerhin: diese Bilder-Industrie fängt an, erheblich langweilig zu werden.

Massenhafte Pornographie ist schon dumm... Sie sollten nicht versäumen, sich so etwas einmal anzusehen: es macht sehr tugendhaft. Wie ödend ist aber nun erst das immer gleiche Sirup-Girl, das wir da aufgetischt bekommen: im Profil, von vorn, von oben und von der Mitte: manche wogen mit den Nüstern und wissen sich vor Schönheit gar nicht zu lassen; manche legen ihre ganze Seele oder was sie dafür halten, in ihre gezierten Hände... und alle, alle sehen ganz gleich aus. Es gibt wohl nur sechzehn verschiedene Ausführungen, und man muß sehr genau hinsehn, um sie voneinander zu unterscheiden.

Brauchen das die Leute –? Es scheint so. Eine Zeitschriftennummer mit einem hübschen Mädchenkopf geht immer; auch die Soldaten haben sich ja auf die hölzernen Wände ihres Unterstands die gelackten Matrosenbilder und Badeschönheiten geklebt... aber das war doch noch verständlich! Es war Ersatz. Was fangen aber nur heute die Kerls mit diesen vielen zuckersüßen Bildern an, während doch die sicherlich reizenderen, weil nicht so glatten Originale um sie herumlaufen?

Das verstehst du nicht. Der Mensch hat einen Hang zum Idealen. Er will nicht immer bloß Bohnensuppe essen und nachher befriedigt, sagen wir, ausatmen – er will nicht immer nur seine Gattin sehen, was verständlich ist: er will das Gebild aus Himmelshöhen. Und das kriegt er hier nun für fünfzig Pfennig.

Meist ist es halbnackt, und wenn es ganz nackt ist, dann ist es ausgezogen. Mitunter gibt es alle gynäkologischen Details, dann sind sie aber weltanschaulich versichert, Marke: Nacktkultur oder Höhensonnenpflege oder was der Mensch so sagt, wenn er die fotografierte Volldame meint. Fettig tastet sie der Blick des Vielbeschäftigten ab; kein Wunder, daß diese Zeitschriften so fleißig hecken, denn wie viele Blicke haben sie schon begattet! Und wenn ein Redakteur gar nicht mehr weiß, was er bringen soll: Busen ist immer gut. Schenkel ist immer gut. Popo ist immer gut.

Schade, daß auf der andern Seite solche heillosen Trottel der Prüderie stehen; man könnte das alles noch viel schärfer sagen. Aber dann wirds im ‹Evangelischen Posaunenengel für die Mark Brandenburg› abgedruckt: «Die *‹Weltbühne›*, mit der wir sonst nicht übereinstimmen, und die doch wahrlich nicht in dem Ruf übergroßer Sittenstrenge und Zimperlichkeit steht...» Amen.

Mir kanns ja gleich sein. Aber wollt ihr eigentlich alle immerzu diese Bilder sehn –?

3

Abends nach sechs

ABENDS NACH SECHS

Selig, wer sich vor der Welt
Ohne Haß verschließt;
Einen Freund am Busen hält
Und mit dem genießt.

Was von Menschen nicht gewußt
Oder nicht bedacht,
Durch das Labyrinth der Brust
Wandelt in der Nacht.
Unbekannter Dichter

Abends nach sechs Uhr gehen im Berliner Tiergarten lauter Leute spazieren, untergefaßt und mit den Händen nochmals vorn eingeklammert – die haben alle recht. Das ist so:

Er holt sie vom Geschäft ab oder sie ihn. Das Paar vertritt sich noch ein bißchen die Beine, nach dem langen Sitzen im Büro tut die Abendluft gut. Die grauen Straßen entlang, durch das Brandenburger Tor zum Beispiel – und dann durch den Tiergarten. Was tut man unterwegs? Man erzählt sich, was es tagsüber gegeben hat. Und was hat es gegeben? Ärger.

Nun behauptet zwar die Sprache, man ‹schlucke den Ärger herunter› – aber das ist nicht wahr. Man schluckt nichts herunter. Im Augenblick darf man ja nicht antworten – dem Chef nicht, der Kollegin nicht, dem Portier nicht; es ist nicht ratsam, der andere bekommt mehr Gehalt, hat also recht. Aber alles kommt wieder – und zwar abends nach sechs.

Das Liebespaar durchwandelt die grünen Laubgänge des Tiergartens, und er erzählt ihr, wie es im Geschäft zugegangen ist. Zunächst der Bericht. Man hat vielleicht schon bemerkt, wie Schlachtberichte solcher Zusammenstöße erstattet werden: der Berichtende ist ein Muster an Ruhe und Güte, und nur der böse Feind ist ein tobsüchtig gewordener Indianer. Das klingt ungefähr folgendermaßen: «Ich sage, Herr Winkler, sage ich – das wird mit dem Ablegen so nicht gehn!» (Dies in ruhigstem Ton von der Welt, mild, abgeklärt und weise.) «Er sagt, erlauben Sie mal! sagt er – ich lege ab, wies mir paßt!» (Dies schnell, abgerissen und wild cholerisch.) Nun wieder die Oberste Heeresleitung: «Ich sage ganz ruhig, ich sage, Herr Winkler, sage ich – wir können aber nicht so ablegen, weil uns sonst die C-Post mit der D-Post durcheinanderkommt! Fängt er doch an zu brüllen! Ich hätte ihm gar nichts zu befehlen, und er täte überhaupt nicht, was ihm andere Leute sagten – finnste das –?» Dabei haben natürlich beide spektakelt wie die Marktschreier. Aber manchmal wars der Chef, und dem konnte man doch nicht antworten. Man hat also ‹heruntergeschluckt› – und jetzt entlädt es sich. «Finnste das?»

Lottchen findet es skandalös. «Hach! Na, weißt du!» Das tut wohl, es ist Balsam fürs leidende Herz – endlich darf man es alles heraussagen! – «Am liebsten hätte ich ihm gesagt: Machen Sie sich Ihren Kram allein, wenns Ihnen nicht paßt! Aber ich werde mich doch mit so einem ungebildeten Menschen nicht hinstellen! Der Kerl versteht überhaupt nichts, sage ich dir! Hat keine Ahnung! So, wie ers jetzt macht, kommt ihm natürlich die C-Post in die D-Post – das ist mal bombensicher! Na, mir kanns ja egal sein. Ich weiß jedenfalls, was ich zu tun habe: ich laß ihn ruhig machen – er wird ja sehen, wie weit er damit kommt...!» – Ein scheu bewundernder Blick streift den reisigen Helden. Er hat recht.

Aber auch sie hat zu berichten. «Was die Elli intrigiert, das kannst du dir überhaupt nicht vorstellen. Fräulein Friedland hat vorgestern eine neue Bluse angehabt, da hat sie am Telefon gesagt, wir habens abgehört –: Man weiß ja, wo manche Kolleginnen das Geld für neue Blusen herhaben! Wie findest du das? Dabei hat die Elli gar keinen Bräutigam mehr! Ihrer ist doch längst weg – nach Bromberg!» Krach, Kampf mit dem zweiten Stock auf der ganzen Linie – Schlachtgetümmel. «Ich hab ja nichts gesagt... aber ich dachte so bei mir: Na – dacht ich, wo du deine seidenen Strümpfe her hast, das wissen wir ja auch! Weißt du, sie wird nämlich jeden zweiten Abend abgeholt, sie läßt immer das Auto eine Ecke weiter warten... aber wir haben das gleich rausgekriegt! Eine ganz unverschämte Person ist das!» Da drückt er ihren Arm und sagt: «Na sowas!» Und nun hat sie recht.

So wandeln sie. So gehen sie dahin, die vielen, vielen Liebespaare im Tiergarten, erzählen sich gegenseitig, klagen sich ihr kleines Leid, und haben alle recht. Sie stellen das Gleichgewicht des Lebens wieder her. Es wäre einfach unhygienisch, so nach Hause zu gehen: mit dem gesamten aufgespeicherten Oppositionsärger der letzten neun Stunden. Es muß heraus. Falsche Abrechnungen, dumme Telefongespräche, verpaßte Antworten, verkniffene Grobheiten – es findet alles seinen Weg ins Freie. Es ist der Treppenwitz der Geschäftsgeschichte, der da seine Orgien feiert. Die blauen Schleier der Dämmerung senken sich auf Bäume und Sträucher, und auf den Wegen gehen die eingeklammerten Liebespaare und töten die Chefs, vernichten die Konkurrenten, treffen die Feindin mitten ins falsche Herz. Das Auditorium ist dankbar, aufmerksam und grenzenlos gutgläubig. Es applaudiert unaufhörlich. Es ruft: «Noch mal!» an den schönen Stellen. Es tötet, vernichtet und trifft mit. Es ist Bundesgenosse, Freund, Bruder und Publikum zu gleicher Zeit. Es ist schön, vor ihm aufzutreten.

Abends nach sechs werden Geschäfte umorganisiert, Angestellte befördert, Chefs abgesetzt und, vor allem, die Gehälter fixiert. Wer würde die Tarife anders regeln? Wer die Gehaltszulagen gerecht bemessen? Wer Urlaub mit Gratifikation erteilen? Die Liebespaare, abends nach sechs.

Am nächsten Morgen geht alles von frischem an. Schön ausgeglichen geht man an die Arbeit, die Erregung von gestern ist verzittert und dahin, Hut und Mantel hängen im Schrank, die Bücher werden zurechtgerückt – wohlan! der Krach kann beginnen. Pünktlich um drei Uhr ist er da – dieselbe Geschichte wie gestern: Herr Winkler will die Post nicht ablegen, Fräulein Friedland zieht eine krause Nase, die Urlaubsliste hat ein Loch, und die Gehaltszulage will nicht kommen. Ärger, dicker Kopf, spitze Unterhaltung am Telefon, dumpfes Schweigen im Büro. Es wetterleuchtet gelb. Der Donner grollt. Der erfrischende Regen aber setzt erst abends ein – mit ihr, mit ihm, untergefaßt im Tiergarten.

Da ist Friede auf Erden und den Paaren ein Wohlgefallen, der Angeklagte hat das letzte Wort – und da haben sie alle, alle recht.

VERFEHLTE NACHT

Heute wollte die Gnädige bei mir schlafen –
und ich freute mich auf unsres Glückes Hafen.

Aber die, die längst in den Gräbern ruhen,
weiß betogat und mit weißen Schuhen,

jene alten, weisen, würdigen Kirchenväter
wandern schaurig hinteinander durch den Äther...

Ach, ich muß sie alle, alle lernen,
und dann ziehn sie wieder in die nebelhaften Fernen.

Meine Nacht beim Teufel – die verfluchten Frommen!
Wirst du nächste Woche zu mir kommen? –

Sieh, dann sind sie fest in meinem Kopf gefangen.
Und ich will vergnügt nach deinen Brüsten langen!

VERSUNKENES TRÄUMEN

Lieblich ruht der Busen, auf dem Tisch,
jener Jungfrau, welche rosig ist und frisch.

Ach, er ist so kugelig und gerundet,
daß er mir schon in Gedanken mundet.

Heil und Sieg dereinst dem feinen Knaben,
dem es freisteht, sich daran zu laben.

Jener wird erst stöhnen und sich recken;
aber nachher bleibt er sicher stecken.

Heirat, Kinder und ein häusliches Frangssäh –
nichts von Liebesnacht und jenem Kanapee...

Ich hingegen sitz bei ihren Brüsten,
und – gedanklich – dient sie meinen Lüsten.

Doch dann steh ich auf und schlenkre froh mein Bein,
schiebe ab,
bin frei –
und lasse Jungfer Jungfer sein! –

WIDER DIE LIEBE

Die brave Hausfrau liest im Blättchen
von Lastern selten dustrer Art,
vom Marktpreis fleißiger Erzkokettchen,
vom Lustgreis auch mit Fußsackbart.

Mein Gott, denkt sich die junge Gattin,
mein Gott! welch ein Spektakulum!
«Das schlanke Frauenzimmer hat ihn...»
Ja was? Sie bringt sich reinweg um.

O Frau! Die Phantasie hat Grenzen,
sie ist so eng – es gibt nicht viel.
Nach wenigen Touren, wenigen Tänzen
ists stets das alte, gleiche Spiel.

Der liebt die Knaben. Dieser Ziegen.
Die will die Männer laut und fett.
Die mag bei Seeoffizieren liegen.
Und der geht nur mit sich ins Bett.

Hausbacken schminkt sich selbst das Laster.
Sieh hin – und Illusionen fliehn.
Es gründen noch die Päderaster
‹Verein für Unzucht, Sitz Berlin›.

Was kann der Mensch denn mit sich machen!
Wie er sich anstellt und verrenkt:
Was Neues kann er nicht entfachen.
Es sind doch stets dieselben Sachen...
    Geschenkt! Geschenkt!

Und wie sich auch die weißen Glieder ranken;
und wie sie sich, wenn die letzten Hüllen sanken,
wollüstig aalt –
es kann mich nicht von meiner Brunst erlösen.
Es ist doch alles, teure Voyeusen,
bezahlt! bezahlt!

Es rast die Polizei. Die Kommissare,
sie nutzen dies als eine wunderbare
Reklame aus.
«Die Orgje». Und: «Entkleidet bis zum Nabel»
(von unten her) – und: «Welch ein Sündenbabel!
Welch Pfreudenhaus!»

Du Polizei vom Alexanderplätzchen!
Es liebt doch jeder gern sein eigenes Schätzchen
und sein Pläsir.
Dies Schauspiel war, zum Beispiel, für die Dümmern
Du mußt dich aber nicht um alles kümmern –
wir schenkens dir.

Und, Presse, du! Laß das Moralgeflenne –
willst du, daß ich dir etwas Schlimmeres nenne
als dies Lokal?
Die gaben nackt sich hin im Lasterloche.
Das, Liebste, tust du schließlich jede Woche
wohl dreizehn Mal.

DAS LIED VON DER GLEICHGÜLTIGKEIT

Eine Hur steht unter der Laterne,
des abends um halb neun.
Und sie sieht am Himmel Mond und Sterne –
was kann denn da schon sein?
Sie wartet auf die Kunden,
sie wartet auf den Mann,
und hat sie den gefunden,
fängt das Theater an.
Ja, glauben Sie, daß das sie überrasche?
Und sie wackelt mit der Tasche – mit der Tasche,
mit der Tasche,
mit der Tasche –
Na, womit denn sonst.

Und es gehen mit der Frau Studenten,
und auch Herr Zahnarzt Schmidt.
Redakteure, Superintendenten,
die nimmt sie alle mit.
Der eine will die Rute,
der andre will sie bleun.
Sie steht auf die Minute
an der Ecke um halb neun.
Und sie klebt am Strumpf mit Spucke eine Masche…
und sie wackelt mit der Tasche – mit der Tasche,
mit der Tasche,
mit der Tasche –
Na, womit denn sonst.

Und es ziehn mit Fahnen und Standarten
viel Trupps die Straßen lang.
Und sie singen Lieder aller Arten
in dröhnendem Gesang.
    Da kommen sie mit Musike,
    sie sieht sich das so an.
    Von wegen Politike...
    sie weiß doch: Mann ist Mann.
Und sie sagt: «Ach, laßt mich doch in Ruhe –»
und sie wackelt mit der Tasche – mit der Tasche –
    mit der Tasche –
    mit der Tasche...
Und sie tut strichen gehn.
    Diese Gleichgültigkeit,
    diese Gleichgültigkeit –
die kann man schließlich verstehn.

SEXUELLE AUFKLÄRUNG

Tritt ein, mein Sohn, in dieses Varieté!
Die heiligen Hallen füllt ein lieblich Odium
von Rauchtabak, Parfums und Eßbüffé.
Die blonde Emmy tänzelt auf das Podium,
der erste und der einzige Geiger schmiert ‹Kollodium›
auf seine Fiedel für das hohe C...
So blieb es, und so ists seit dreißig Jahren –
drum ist dein alter Vater mit dir hergefahren.

Sieh jenes Mädchen! Erster Jugendblüte
leichtrosa Schimmer ziert das reizende Gesicht.
So war sie schon, als ich mich noch um sie bemühte,
und wahrlich: ich blamiert mich nicht!
Siehst du sie jetzt, wie sie voll Scham erglühte?
Was flüstert sie? «Det die de Motten kricht...!»
Wie klingt mir dieser Wahlspruch doch vertraut
aus jener Zeit, da ich den Referendar gebaut!

Sei mir gegrüßt, du meine Tugendlilie,
du altes Flitterkleid, du Tamburin!
Nimm du sie hin, mein Sohn – es bleibt in der Familie –
und lern bei ihr: es gibt nur ein Berlin!
Nun aber spitz die Ohren, denn gleich singt Ottilie
ihr Lieblingslied vom kleinen Zeppeliihn...
Kriegst du sie nicht, soll dich der Teufel holen!
Verhalt dich brav – und damit Gott befohlen!

ENTREE MIT EINER ALTEN JUNGFER

Du gute, alte, liebe Holzschnittmuse!
Was? Wir zwei beide rolln ins Cabaret?
Dreh dir den Dutt! Zieh an die Seidenbluse!
Umschnür dich mit dem Feiertagscorsé!
    Komm mit, mein Kind! Heut gehn wir unter Leute –
    Zum ersten Mal – dein Ehrentag ist heute!
    Und tanzt mit dir dein lieber, fetter Mann –:
                    Geh ran!

Und bleib mir treu! Da sitzt an kleinen Tischen
Das ganz moderne Volk – du Dunnerkiel!
Geh da nicht hin! Du künntest was erwischen.
Was sich nicht ziemet als Gesellschaftsspiel!
    Ich tue, was ich kann. Die andern Knaben
    Solln dich bewundern, doch nicht gerne haben.
    Bleib du, trotz Gent und Reichswehroffizier,
                    Bei mir!

Und tanz! Sie wollen sich bei uns erheitern.
Sieh an, sie hatten so am Tag zu tun –
Mit ihren Schecks, mit ihren Hilfsarbeitern – –
Nun mögen sie des Abends lachend ruhn.
    Hilf deinem Theobald, du dickes Mädchen!
    Bei *jedem* drunten fehlt ein kleines Rädchen –
    Zieh sie durch den Kakao von A bis Z –
                    Machs nett!

DER VERRUTSCHTE HUT

Wenn eine Dame nachts allein mit einem
Mann im Auto nach Hause fährt, hat sie sich
die Folgen selber zuzuschreiben.
Aus der Urteilsbegründung eines berliner
Schöffengerichts

Was ein berliner Kavalier ist,
der bringt – ist die Gesellschaft aus –
und wenn es morgens früh um vier ist,
die Dame, welche ... stets nach Haus.
  Im Auto soll man Bande knüpfen.
  Das muß so sein und hebt den Herrn.
  Der Name ‹Schlüpfer› kommt von: schlüpfen.
  Er glaubt: die Frauen haben das gern ...
    Das wollen sie aber gar nicht!
    Das mögen sie aber gar nicht!
      Das tut ihnen gar nicht gut!
  Wie kommen sie denn nun nach Haus?
  «Und wie seh ich überhaupt jetzt aus?
  – und einen ganz verrutschten Hut!»

Es erben sich Gesetz und Rechte
wie eine ewige Krankheit fort.
Er meint, wenn er das nicht vollbrächte,
dann sei er kein mondäner Lord.
  Er muß. Teils gnädig und teils müde
  und überhaupt, weils dunkel ist.
  «Ach, der Chauffeur ... sei doch nicht prüde ...!»
  Ein Mann ist stets ein Egoist.
    Sein Motor will auf Touren laufen.
    Die Frau braucht Zeit. Es saust die Fahrt.
    Sie will nicht um die Liebe raufen:
    Haare apart und Bouletten apart.

Doch jener wird gleich handgemein.
Jetzt oder nie ...! Die Hand ans Bein ...

    Das wollen sie aber gar nicht!
    Das mögen sie aber gar nicht!
        Das tut ihnen gar nicht gut!
    Berliner Autoliebe stört.
    Immer hübsch alles, wos hingehört –
        ohne verrutschten Hut –!

NEBENAN

Es raschelt so im Nebenzimmer
im zweiten Stock, 310 –
ich sehe einen gelben Schimmer,
ich höre, doch ich kann nichts sehn.
    Lacht eine Frau? spricht da ein Mann?
    ich halte meinen Atem an –
    Sind das da zwei? was die wohl sagen?
    ich spüre Uhrgetick und Pulse schlagen...
        Ohr an die Wand. Was hör ich dann
            von nebenan –?

Knackt da ein Bett? Rauscht da ein Kissen?
Ist das mein Atem oder der
von jenen... alles will ich wissen!
Gib, Gott, den Lautverstärker her –!
    Ein Stöhnen; hab ichs nicht gewußt...
    Ich zecke an der fremden Lust;
    ich will sie voller Graun beneiden
    um jenes Dritte, über beiden,
        das weder sie noch er empfinden kann...
    «Marie –!»
        Zerplatzt.
        Ein Stubenmädchen war nur nebenan.

War ich als Kind wo eingeladen –:
nur auswärts schmeckt das Essen schön.
Bei andern siehst du die Fassaden,
hörst nur Musik und Lustgestöhn.
Ich auch! ich auch! es greift die Hand
nach einem nicht vorhandenen Land:
Ja, da –! strahlt warmer Lampenschimmer.
Ja, da ist Heimat und das Glück.
In jeder Straße läßt du immer
ein kleines Stückchen Herz zurück.
Darfst nie der eigenen Schwäche fluchen;
mußt immer nach einem Dolchstoß suchen.
Ja, da könnt ich in Ruhe schreiben!
Ja, hier –! hier möcht ich immer bleiben,
in dieser Landschaft, wo wir stehn,
und ich möchte nie mehr nach Hause gehn.

Schön ist nur, was niemals dein.
Es ist heiter, zu reisen, und schrecklich, zu sein.
Ewiger, ewiger Wandersmann
um das kleine Zimmer nebenan.

ES IST

Es ist so viel unverbrauchte Zärtlichkeit in Hotelzimmern,
wo sie allein liegen:
ein Mann, oder eine Frau, oder ein angebrochenes junges
Mädchen –
in leiser Lächerlichkeit liegen wir allein.

Es ist eine Einsamkeit, umflossen
von den Strömen des städtischen Gases,
des elektrischen Stromes, für alle gemacht,
einer Zentralheizung, eines Zentralessens, einer
Zentralzeitung...
aber ein kleiner Fleck ist noch da,
auf dem sind wir allein.

Jeder liegt in seiner Schublade.
Die kleinen Härchen auf den Oberarmen schwanken suchend im
Luftzug,
wie die Greifer der Meerespflanzen in strömendem Wasser;
die Haut langweilt sich.

Wenn jetzt einer käme und sagte: «Bitte sehr! ich liege Ihnen zur
Verfügung!»
wenn ich jetzt durch die Wand ginge zu meiner Nachbarin –
(«Man ist doch keine Hure! ich werfe mein Leben nicht in Hotels
weg!» – Kusch.)
– wenn jetzt eine dicke Dame käme, mich im Bad zu massieren;
wenn sich jetzt der Jungen ein verständiger Mann gesellte, der sie
nur streichelte...
ungenützt ist die Nacht.

Dreivierteleins.
Es kocht in den Röhren des Badezimmers;
badet jemand noch so spät?

Neugierig sind wir auf fremde Körper.
Wie legen Sie abends das Hemd auf den Stuhl? Lieben Sie
Fruchtsalz?
Ziehen Sie Ihre Uhr morgens oder abends auf?
Und in der Liebe?
Sind Sie gesund? Verzeihen Sie, ich habe solche Furcht vor
Krankheiten –
das ist ein Teil meiner Tugend.

I'm in love again –
nein, das eigentlich nicht:
es sollte nur jemand da sein, an dem ich mich spüren kann.
Warum, 318 (mit Bad) liegen Sie so allein?
Denkbar wäre auch eine Hotelgeisha, die höflich liebt,
und die auf der Rechnung nur als kleiner, diskreter Kreis vermerkt
ist –
aber schöner wäre ein Gast.

Warum kommt nie ein Einsamer zu einer Einsamen?
Stolz kriechen wir in unser zuständiges Gehäus,
hygienisch, unnahbar, vernünftig,
allein.

Knips das Licht an, sagt der Schlaflose zu sich selbst
(er duzt sich, weil er sich schon so lange kennt) –
und lies noch ein bißchen.
Du hast zu viel Pfirsich-Melba gegessen, daher solche Gedanken,
Luftblasen auf dem Meer der inneren Sekretion.
Du bist überhaupt gar nicht allein. Du hast eine Zeitung. Lies:

8. Fortsetzung *Nachdruck verboten.*

Schließlich raffte sie ein Spiel Karten auf, kauerte sich neben den Kamin und begann, eifrig und hingegeben zu mischen.

«Ich kam in der Absicht», begann er mit einer nicht ganz festen Stimme, «noch heute um Ihre Hand anzuhalten.»

Das schöne Mädchen

IDEAL UND WIRKLICHKEIT

In stiller Nacht und monogamen Betten
denkst du dir aus, was dir am Leben fehlt.
Die Nerven knistern. Wenn wir das doch hätten,
was uns, weil es nicht da ist, leise quält.
Du präparierst dir im Gedankengange
das, was du willst – und nachher kriegst dus nie...
Man möchte immer eine große Lange,
und dann bekommt man eine kleine Dicke –
C'est la vie –!

Sie muß sich wie in einem Kugellager
in ihren Hüften biegen, groß und blond.
Ein Pfund zu wenig – und sie wäre mager,
wer je in diesen Haaren sich gesonnt...
Nachher erliegst du dem verfluchten Hange,
der Eile und der Phantasie.
Man möchte immer eine große Lange,
und dann bekommt man eine kleine Dicke –
Ssälawih –!

Man möchte eine helle Pfeife kaufen
und kauft die dunkle – andere sind nicht da.
Man möchte jeden Morgen dauerlaufen
und tut es nicht. Beinah... beinah...
Wir dachten unter kaiserlichem Zwange
an eine Republik... und nun ists die!
Man möchte immer eine große Lange,
und dann bekommt man eine kleine Dicke –
Ssälawih –!

EINE KLEINE GEBURT

Ich lebte mit Frau Sobernheimer;
sie war so lieb, sie war so nett.
Wir wuschen uns im selben Eimer,
wir schliefen in demselben Bett.
  So trieben wir es manches Jahr...
  Bis sie den Knaben mir gebar.

Doch dieser Knabe war kein Knabe.
Wir hatten in der dunklen Nacht
als Zeitvertreib und Liebesgabe
uns dieses Wesen ausgedacht.
  Frau S. war jeden Kindes bar.
  Der Knabe, der hieß Waldemar.

Und war so klug! – Nach fünfzehn Tagen,
gelebt im Kinderparadies,
da konnte er schon Scheibe sagen,
bis man ihm solches leicht verwies.
  Er setzte sich aufs Tintenfaß
  und machte meinen Schreibtisch naß.

Er wuchs heran, der Eltern Freude,
ein braves, aufgewecktes Kind.
Wir merkten an ihm alle beude,
wie süß der Liebe Früchte sind.
  Da fragte Mutti ganz real:
  «Was wird der Junge denn nun mal –?»

Hebamme? General? Direktor?
Bootlegger? Hirt? Ein Schiffsbarbier?
Verlorner Mädchenheim-Inspektor?
Biographist? Gerichtsvollziehr?
  Ein Freudenmännchen? Jubilar –?
  Uneinig war das Elternpaar.

Ein Krach stieg auf, bis zu den Sternen!
Frau S., die krisch. Die Türe knallt.
Sie wollt ihn lassen Bildung lernen,
ich aber war für Staatsanwalt.
  Ein Kompromiß nahm sie nicht an:
  im Kino, als Bedürfnismann.

Der Lümmel grölte in der Küche
und fand den Krach ganz wunderbar.
So ging die Liebe in die Brüche –
und alles wegen Waldemar?
  Da sprach ich fest: «Mein trautes Glück!
  Wir geben dieses Jör zurück!»

Gemacht.
  Nun ist Frau Sobernheimer
wie ehedem so lieb und nett.
Wir waschen uns im selben Eimer,
wir schlafen in demselben Bett.
  Und denken nur noch hier und dar
  mal an den seligen Waldemar.

DANACH

Es wird nach einem happy end
im Film jewöhnlich abjeblendt.
  Man sieht bloß noch in ihre Lippen
  den Helden seinen Schnurrbart stippen –
  da hat sie nu den Schentelmen.
    Na, un denn –?

Denn jehn die beeden brav ins Bett.
Na ja ... diß is ja auch janz nett.
  A manchmal möcht man doch jern wissn:
  Wat tun se, wenn se sich nich kissn?
  Die könn ja doch nich imma penn ...!
    Na, un denn –?

Denn säuselt im Kamin der Wind.
Denn kricht det junge Paar 'n Kind.
  Denn kocht sie Milch. Die Milch looft üba.
  Denn macht er Krach. Denn weent sie drüba.
  Denn wolln sich beede jänzlich trenn ...
    Na, un denn –?

Denn is det Kind nich uffn Damm.
Denn bleihm die beeden doch zesamm.
  Denn quäln se sich noch manche Jahre.
  Er will noch wat mit blonde Haare:
  vorn doof und hinten minorenn ...
    Na, und denn –?

Denn sind se alt.

Der Sohn haut ab.

Der Olle macht nu ooch bald schlapp.

Vajessen Kuß und Schnurrbartzeit –
Ach, Menschenskind, wie liecht det weit!
Wie der noch scharf uff Muttern war,
det is schon beinah nich mehr wahr!
Der olle Mann denkt so zurück:
wat hat er nu von seinen Jlück?
Die Ehe war zum jrößten Teile
vabrühte Milch un Langeweile.

Und darum wird beim happy end
im Film jewöhnlich abjeblendt.

AUS!

Einmal müssen zwei auseinandergehn;
einmal will einer den andern nicht mehr verstehn – –
einmal gabelt sich jeder Weg – und jeder geht allein –
wer ist daran schuld?

Es gibt keine Schuld. Es gibt nur den Ablauf der Zeit.
Solche Straßen schneiden sich in der Unendlichkeit.
Jedes trägt den andern mit sich herum –
etwas bleibt immer zurück.

Einmal hat es euch zusammengespült,
ihr habt euch erhitzt, seid zusammengeschmolzen, und dann
erkühlt –
Ihr wart euer Kind. Jede Hälfte sinkt nun herab –:
ein neuer Mensch.

Jeder geht seinem kleinen Schicksal zu.
Leben ist Wandlung. Jedes Ich sucht ein Du.
Jeder sucht seine Zukunft. Und geht nun mit stockendem Fuß,
vorwärtsgerissen vom Willen, ohne Erklärung und ohne Gruß
in ein fernes Land.

Die Uhr war gar keine Uhr, sondern ein Rabe: aus dem Schnabel fiel ihm ein weißer Zettel heraus, auf dem stand die Stundenzahl, in den Krallen hielt er zwei kleine Zettel, darauf standen die Minuten, und alle Minuten klappte ein neues Blatt herunter: schnapp! 8 – schnapp! 9 – schnapp! 10... Es war genau 5 Uhr 10.

Die Kellnerin nannten wir die ‹Tochter der Legion›, und sie hieß Marietta. Sie war so schön, daß mir, als ich sie an diesem Nachmittag zum ersten Male sah, die Pfeife ausging; das geschieht alle Jahr nur dreimal: diesmal also in den «Drei Königen» zu Bernkastel – so schön war sie. Sie war schwarzhaarig, sie hatte eine leichtgeschwungene Nase, dünne Lippen und eine herrliche Stirn; sie stammte, wie sie uns leise erzählte, aus Bayern, dort sehen ja manche Frauen und Mädchen römisch aus; vielleicht sind das Überbleibsel vom Familienleben der römischen Legionäre, die dort einmal garnisoniert gewesen sind... und daher nannten wir sie ‹Die Tochter der Legion›. Drüben am Stammtisch saß ein einsamer, blonder, junger Mann.

«Das ist der Herr Referendar», sagte Fräulein Marietta. Wir nahmen dies zur Kenntnis und stiegen in den Mosel – erst in den offenen, dann in einen jungen, frischen, dann in einen alten, goldgelben, der sehr schwer war. Es ging schnell mit uns; Mosel ist kein so bedächtiger Wein wie der Rheinwein oder der Steinwein... es ging sehr schnell. Wir hatten auch schon am frühen Nachmittag gemoselt – wir tranken vom Mittagessen unmittelbar in den Dämmerschoppen hinüber, vielleicht war es das. Karlchen und Jakopp tranken, was sie konnten – und sie konnten! Ich saß da, zündete mir die Pfeife an, die ausgegangene, rauchte... und sah Marietta an, ich sah sie immerzu an.

Sie bemerkte das und lächelte. Wenn sie lächelte, glitt ein Schlänglein um ihren Mund, etwas Lauerndes war da, ein fast böses Fältchen bildete sich um die Augen... ich sah sie immerzu an. Nicht ich allein sah sie immerzu an.

Der Herr Referendar sah uns immerzu an. Sie, wie wenn er sie träumte; mich, wie wenn er mir böse sei... Wahrscheinlich war er mir böse. Dieser Mosel hatte es in sich. Karlchen erhob sich, um auf der Mosel «Kahn zu fahren», wie er verkündete. Es war oktoberkalt und ein Unfug, jetzt auf der Mosel in einem Boot zu fahren. Das teilte ich Jakopp mit; er gab mir völlig recht und erhob sich demgemäß, um gleichfalls Kahn zu fahren; denn, sagte er, dies sei überhaupt nicht die Mosel – dies sei der Main. Er wisse das: Bernkastel liege am Main. «Er will mich heiraten», flüsterte Marietta und glitt an mir vorbei. Hatte sie das gesagt? Der Referendar sah herüber... Die Mosel liegt nicht am Main... das ist ein Irrtum, ein geopolitischer Irrtum... Marietta... Fräulein Marietta –

Einer von uns hat sie geheiratet; wer: das ist nicht genau zu erkennen. Dieser Ehemann hat keinen Kopf. Er hat sie geheiratet, und ich weiß, wie das ist, wenn man sie geheiratet hat. Wenn man sie nackt sieht, ist sie nicht sehr schön – sie hat so ein kurzes Untergestell. «Wie können Sie Lümmel sich erlauben, von meiner Frau Untergestell zu sagen –?» Hat aber doch ein kurzes Untergestell. Sie gibt dem Ehemann, dem kopflosen, zu trinken; es macht nie satt, sie zu trinken – es ist herrlich, aber man bleibt ewig durstig. Schön, wie? Gar nicht schön, was? Sie ist nußbraun am Körper und hat einen fremden Geruch. Die Tochter der Legionäre... Ist das ein Film? Nein, das ist eine Ehe.

...zu sich heraufziehn. «Man kann doch», sagte die kopflose Figur, «eine Frau zu sich heraufziehn. Man kann doch eine Frau zu sich heraufziehn.» Da lachen ja die Raben, Mensch! Man kann keine Frau zu sich heraufziehn! Die Frau zieht dich zu sich hinab? Hinab.

Erst geht es ganz gut, weil du verliebt bist, und weil du trinken willst, trinken. Und dann geht es nicht mehr so gut: sie lacht dich aus, wenn du deine Bücher liest; sie langweilt sich, wenn du deine Geschichten erzählst; du langweilst dich, wenn sie die ihren erzählt, die Tochter der Legionäre – übrigens ist sie dumm, gerissen und unbeirrbar abergläubisch... und dann kommt das Schlimmste: dann kommen die andern.

Da kommen ihre Freundinnen, die Puten und Gänse; was sind das nur für schreckliche, dicke Frauen, die sie da angeschleppt! Eine Tante? In Gottes Namen, eine Tante... Und dann kommen die Deinen, junger Ehemann, und gehen um Fräulein Marietta herum und – sei nicht böse! – riechen an ihr, wie... ja, und dann schütteln sie den Kopf: es ist ein fremder Geruch, und das Nußbraune gefällt ihnen nicht mehr, seit sie wissen, daß es keine Schminke ist – man kann niemand verpflanzen. Nein, das kann man wohl nicht. Da steht ihr.

Da steht ihr wie zwei Porzellanfiguren auf einem runden Untersatz, und alle halten kleine Steinchen in der Hand und wollen nach euch werfen. Da steht ihr; allein, isoliert, in einem prasselnden Licht von Hohn, Schadenfreude und Ironie. «Wie geht es Ihrer Frau?» Immer seltener wird diese Frage – sie wollen deine Frau nicht. Worauf du aus Trotz zu ihr hältst. Aber sie sind in der Überzahl, sie haben die Majorität, also haben sie recht, und du Feigling verrätst deine Frau an die andern, nun siehst du sie mit den Augen der andern und siehst:

die Kellnerin.

Ist denn ein anderer Stand eine andre Rasse? Kommt es nicht auf den Menschen an? Ja, es kommt auf den Menschen an. Aber du bist gewarnt worden! Sie hat damals – in den «Drei Königen» zu Bernkastel – einmal zu dir, Referendar, gesagt: «Kennen Sie das, Rosel von der Mosel, du goldig Mägdelein, von Tenor Völker? Wir haben es auf dem Grammophon...» und es ist dir kalt über den Rücken gelaufen, denn du hast ja damals schon gewußt: eine dauernde Bindung zu einer Frau ist nur möglich, wenn man im Theater über dasselbe lacht. Wenn man gemeinsam schweigen kann. Wenn man gemeinsam trauert. Sonst geht es schief; sonst geht es schief; sonst geht es schief. Du bist gewarnt worden. Du hast nicht gehört. «Rosel von der Mosel...» Pfui Deibel. Wie süß war das Fältchen, damals! Wie gemein sie lacht, heute! Und nun wird sie voller, wir wollen nicht sagen: dick, aber voller… warum, Referendar, Assessor, Anwalt, hat sie dich geheiratet? Lüge! Lüge! Du hast sie gewollt! Sie war ein bißchen schwer zu haben, damals; weinrot angelaufene Stammtische haben sie bewiehert, sie zärtlich beklapst, jeder hat zum mindesten einmal gewollt. Hat er gedurft? Hart ist ihr Herz geworden und verhärtet – sie denkt nicht gut von den Männern, aber vielleicht gut von einem, den du nicht kennst. Von dir? Pa! Ihr Blick weiß Bescheid; sie ist hart zu dem Dienstmädchen, das für sie arbeiten muß, sie hat kein Mitleid. Im Gegenteil, sie fühlt die Hierarchie. Aber noch im Vergeltungshaß ist sie mit jener verschwistert, der Kampf geht von gleich zu gleich, und sie steht auf dem Fußbänkchen deines Staatsexamens und deines Titels. Aber man hört doch manchmal, daß solche Ehen auch schon gut gegangen…

Warum hat sie nicht einen braven Mann geheiratet? Den Zapfer, der immer am Büfett stand, und der sich schon eine ganze Menge zusammengespart hatte – er wollte mit ihr eine Wirtschaft aufmachen… Aber natürlich, einen braven Weinwirt von der Mosel hätte sie heiraten sollen, einen aus ihrem Stand… Ist *das* deine Anschauung von den Klassen? Das ist doch Wahnwitz: Frankreich hat Frauen gesehn, die sich zu königlichen Ehren hinaufgeküßt haben – aus dem Schweinekoben ihres Herrn Papa direkt nach Versailles, warum sollte nicht…? Ja, Frankreich. Du hast es nicht geschafft, Anwalt, du hast es nicht geschafft. Dich ekelt vor ihr. Kinder? Schüttele dich! Kinder von ihr? Von der – Kinder? Am Ende auch solche Huren. Sags doch! Huren! Denn sie ist dir weggelaufen, Gott sei Dank, weggelaufen – sie hat dir einen Brief dagelassen, und du hast ihn zerrissen, in der ersten Wut, aber du kannst ihn auswendig, jedes Wort ist in deine Seele gebrannt, sie hat dir alles gesagt: was du für einer bist, wie sie über dich denkt, über deine Leute, über deine Bücher, über deine Musik, über dein Leben… Und mit wem sie dich betrogen hat, und wo! Wo nicht? Mit wem nicht? Eine –

«Fräulein Marietta!»

Wer hat gerufen? Habe ich gerufen? Vielleicht hat der Referendar gerufen. Er möchte Wein haben. Es ist graudunkel.

Sie steht bei ihm und beugt sich über ihn; man weiß nicht, ob es zärtlich ist oder nur so aussieht. Sagen wir: zärtlich. Wo sind Karlchen und Jakopp? Hoffentlich ertrunken. Schwer war der Mosel. Ich muß wohl etwas eingedruselt sein. Ich sehe auf die Rabenuhr. Es ist genau 5 Uhr 13.

Will einmal sehen, wo die beiden andern sind... Richtig ja: bezahlen. «Fräulein Marietta!» – Sie kommt, sie lächelt und ich sehe sie an. Ihr Profil ist schön wie eine jener Gemmen, gefunden in den alten Siedlungen der kaiserlich-römischen Legion.

Von wejen Liebe...
Wat der Affe klönt!
Ick hab ma ehmt bloß an'n jewöhnt!
Ick weß nu schon: det Morjens seine Socken...
uff seinen Oberarm die zweenhalb Pocken...
Von wejen Liebe –!
Hö! So siehste aus.
Mensch, nischt wie raus!

Da sind wa neulich in'n Film jewesen.
Da jab et eenen schönen Brief zu lesen.
Een Vers:
DIE EIFERSUCHT IST EINE LEIDENSCHAFT,
DIE MIT EIFER SUCHT, WAS LEIDEN SCHAFFT.
Na ja doch. Aba det wär ja jelacht:
Wenn der mit seine Nutten macht –
ick sahre nischt. Ick kenn doch diß jenau!
Son fauler Kopp. Ick ärja mir bloß blau,
det ick mir ärjere. Denn der vadient det jahnich,
der Affenschwanz, der olle Piesenkranich.
Ick mach et janz jenau wie er – son Aas...!
A det is komisch: mir machts keenen Spaß.
Mich kann die janze Männerbransche –!
Ick nehme jahnich jern Revansche.
Ick, Lottchen, bin ja dazu viel zu schlau.
So is det meine Meinung nach mit jede Frau:
Sofern wir iebahaupt 'n Herrn ham,
denn ham wir jern, det wirn jern ham!
Ob Schupouniform, ob in Zevil:
es is von wejen det Jefiehl.
Da weeß der jahnischt von. Der pust sich auf
und kommt sich vor un is noch stolz dadrauf...

Von wejen Liebe
Det bestimmt doch keinesfalls
der Mann mit seinen unjewaschenen Hals!
Ich küsse Ihre Hand, Madam.
Diß jlauben bloß die Kälber.
Ick sahre so –:
Det Schönste an die Liebe is die Liebe selber.

EIN NACHDENKLICHER ZUSCHAUER

Der alte Mann spricht:

Komisch – det machn die nu jedes Jahr!
Det se det nich iba wern...
Der sacht: «Du hast abar schönes Haar!»
un det wolln die Meechn ooch heern...
    Kuck mah – wat macht der fürn Betrieb!
    hach, un die is janz hinüba –
    die hat ihrn Emton ehm lieb –
    je länger –
                    jelängerjelieber!

Wat denkt die sich nu –?
                                        Det der junge Mann
ihr einziger is und ihr alles –?
So fangt det Ding ja imma an
im Falle eines Falles.
    Nachher komm Kinda un Faltn un so:
    det scheenste is doch det Fieba
    am Anfang, wenn se sinn jlicklich un froh –
    je länger –
                    jelängerjelieber.

Nu drickt er sie nommal, und denn jehn se los
int Kino oda bei Muttan –
heut is die Liebe noch mächtig jroß,
die vajessn vor Liebe zu futtan.
    So jeheert sich det auch. Det muß auch so sein!
    Allein is richtich – aba allein zu zwein.
    Von mir aus leben se dreimal hoch!
    Ich denke mir demjejenieba:
    Wenn eener und er muß mal, denn soll er ooch –:
    Je länger –
                    jelängerjelieber –!

SINGT EENER UFFN HOF

Ick hab ma so mit dir jeschunden,
ick hab ma so mit dir jeplacht.
Ick ha in sießen Liebesstunden
zu dir «Mein Pummelchen» jesacht.
Du wahst in meines Lehms Auf un Ab
die Rasenbank am Elternjrab.

Mein Auhre sah den Hümmel offen,
ick nahm dir sachte uffn Schoß.
An nächsten Tach wahst du besoffen
un jingst mit fremde Kerle los.
Un bist retuhr jekomm, bleich un schlapp –
von wejen: Rasenbank am Elternjrab!

Du wahst mein schönstet Jlück auf Erden,
nur du – von hinten und von vorn.
Mit uns zwee hätt et können werden,
et is man leider nischt jeworn.
Der Blumentopp vor deinen Fensta
der duftet in dein Zimmer rein...
Leb wohl, mein liebes Kind, und wennsta
mal dreckich jeht, denn denke mein –!

TRAURIGES LIED, AUF EINEM KAMM GEBLASEN

Heuer – die Nazis sagen immer: heuer – in diesem Sommer wird das mit der Liebe wohl nichts werden. Es kann nichts werden. Warum nicht? Weil daß die Damenmode so blumig ist... wer hat uns das angetan?

Früher... das war eine schöne Zeit. Wenn ich noch daran denke, wie meine gute Großmama mit kurzem Kleidchen in den Alpen herumsprang, daß es eine Freude war – wie einfach war das alles! Es war eine Mode, die sogar der Mann verstand: klar, übersichtlich, praktisch in Bezug auf und bezüglich des... es war eine schöne Zeit. Manchmal, in freudischen Kinderträumen, taucht zwischen Abitur und einem Traum-Ich, das nackt auf dem Platz vor dem Wasserturm in Mannheim steht, die Angst vor den Flitterkleidern unserer Embryonaljugend auf: Mama vor der Gesellschaft, in ungeheuerm Korsettkrach mit dem Hausmädchen begriffen, einen ganzen botanischen Garten im Haar, auf dem Stuhl liegt ein Textillager, und zweitausend Stecknadeln glitzern auf dem Fußboden...

Im verwichenen Frühjahr hatte ich zu einem Freund gesagt, daß das deutsche Reichsgericht ein Gericht sei, und daneben gebe es eine politische Verwaltungsbehörde, die unter anderm die Kommunisten bekämpfe – aber mit der Justiz habe das nichts zu tun: das Reichsgericht spreche Recht. Der Freund sah mich besorgt an, und abends hatten sie mich schon in eine Zwangsjacke gesteckt, eine hübsche, kleidsame Sache, die es bekanntlich gar nicht gibt... gestern habe ich zum ersten Mal ohne Wächter ausgehen dürfen. Da sah ich die junge Mode, zum ersten Mal.

Gott, der du mir zur Freude die lieben Hundchen nachtaus, nachtein bellen läßt, der du ihre Flöhe zählst und die Herzen der Menschen kennst –: du wirst das nicht wollen. Du kannst es nicht wollen, lieber Gott. Sprich. Sag ein Wort. Sage: es ist ein Traum. Eine Vision. Es kann nicht sein –

Von den alten Damen will ich gar nicht sprechen – denen

steht diese Mode gar schön zu Popo. Aber die jungen Frauen...!

Sie haben alle etwas an, das sieht aus wie bedrucktes Vorsatzpapier, so ganz billiges, wie pathetische Papierblumen... wenn ich, pósito, gesetzt den Fall, und ich hätte in meiner Bibliothek ein Buch von Wolfgang Goetz – das ließe ich so einbinden... und so laufen sie herum. Nein, so gehn sie herum; laufen können sie nicht. Sie können nicht laufen, weil sich nachmittags und abends die Kleider um ihre Beine schlingen, die, dessen ungewohnt, hier und da ausschlagen, wie die Füße mückengepeinigter mexikanischer Esel; das Zeug schlunzt und schlingert um ihre Füße, unten wackelt es, und wenn die Kleider nicht gar herrlich gearbeitet sind und vom ersten Schneider kommen, dann denkt man an wandelnde Lampenschirme. Sie selber glauben, es fließe; aber es weint nur an ihnen herunter. Manche, die Hagern, sehen aus wie männliche Transvestiten nachts um vier: es ist die Stunde, wo jene schon zeigen wollen, daß sie Männer seien. Es ist eine vergnügte Mode.

Und alle sehen achtundzwanzig Jahre älter aus, lieblich wie verspätete alte Jungfern aus einem Roman der neunziger Jahre... «Und noch einmal sollte das Liebesglück an Ernestine herantreten, und ihre Wangen erglühten in einem ihr selber ungewohnten Rot. Fortsetzung bei der nächsten Nummer.» So eine Mode ist das.

Voller Freude bringen die illustrierten Zeitungen nebeneinander Bilder von der Modenschau aus dem Jahre 1908 und von heute – die von heute ist um eine Spur häßlicher. Mit solchen Kleidern steigen sie in die Autos. Damit sind sie dem Manne ebenbürtig. Damit laufen sie herum. Wie groß muß ihre Freude an der Verkleidung sein, daß junge Mädchen und solche, die es wieder werden wollen, in diesen Kissenbezügen einherwallen!

Tausendundvier Augen locken mich, tausendunddrei, die eine junge Dame hatte ein Glasauge; ich sah keine, ich beachtete keine.

Früh um fünf stand am Sanatoriumseingang ein bitterlich

weinender Mann. Es war ich. Er bat um erneute Aufnahme; der Portier sprach: «Sie sind wohl verrückt?» Ich ging hinein. Mein Herz muß heuer ohne Liebe bleiben, traurig stehe ich am Fenster, ein Liedchen in Moll auf meinem Kamm blasend – ich sehe dabei in den schönen Park des Klapskastens, die Krokusse blühen, Fräulein Gudula verneigt sich vor einer Birke, Herr Melchior kämmt seinen Astralleib, ein deutscher Verleger zeichnet pünktliche Abrechnungen in den erstaunten Sand, und alle zusammen sind noch lange nicht so verdreht wie das Unterfangen, in diesem Sommer draußen die Mädchen zu lieben.

Er pfiff – das tat er so selten. «Sie sind sehr vergnügt –?» fragte ich. «Sie müssen hingehn!» sagte er. «Sie müssen auf alle Fälle hingehn! Es ist ganz großartig. Ganz großartig ist es!» – «Was?» fragte ich. «Einweihung eines neuen Planeten? Schlußfest auf einem Trabantenmond? Maskenball in der Milchstraße?» Er wehrte mit einer Handbewegung ab. «Nicht doch!» sagte er. «Das O hat mir das Erdkino gezeigt! Sie müssen hingehn!»

Wer das O war, wußte ich – aber was war ein Erdkino? Ich fragte ihn. Er nahm einen Meteorstein in die Hand und schickte ihn auf die Reise, nach unten. «Das Erdkino?» sagte er.

«Das O hat die Erde aufgenommen – nun, das ist nichts Neues. Aber es hat die Bilder aneinandergesetzt, flächig aneinandergepappt, verkleinert, wieder vergrößert, ich bin kein Techniker und habe seine Erklärung kaum verstanden. Es sagt etwas von Zeitraffer... Es kann die Menschen auf den Filmen löschen – man sieht nur die Sachen.» – «Was für Sachen?» sagte ich. «Sachen!» sagte er. «Kleider, Anzüge, Hutnadeln, Schränke, Bücher, Dampfer, Laternen, Papier, Antennen, was Sie wollen. Das sieht man. Nun setzt es sich in den Fabriken zusammen, die Menschen sind nicht zu sehen, verstehen Sie? Es setzt sich allein zusammen, wächst, aus dem Boden, in Werkstätten, in Ateliers, lackiert sich, prangt und spreizt sich in Neuheit... Dann wird es benutzt, die Schranktüren klappen auf und zu, Papier wendet sich, Hutnadeln hängen in der Luft, Bilder leuchten, Anzüge wandeln, drehen sich, liegen über Stühlen... wie sind die Sachen fleißig! Wie dienen sie! Wie sind sie tätig! Wie leben sie mit! Welch ein Leben!» Seine Augen leuchteten. «Und dann?» fragte ich. «Und dann werden die Sachen müde, immer seltener stülpt sich der Hut auf eine unsichtbare Form, immer wackliger fällt der Vorhang, immer bröckliger klappt die Zauntür... Und dann gibt es einen Ruck, Holz wird zerschlagen – man sieht nicht, von wem –, alte Kissen fliegen durch den Raum, Schnur schnurrt zusammen und rollt sich ab – und dann sinken die Sachen auf die Erde. Ganz langsam sinken sie nieder, da liegen sie. Und dann werden sie immer unkenntlicher, sie werden wohl zu neuen Klumpen gekocht, zusammengeschweißt, ich verstehe mich nicht so darauf. Und viele werden wieder Erde. Und dann fängt es wieder von vorn an.»

«Und das gibt es da alles zu sehen?» sagte ich. «Das und noch viel mehr», stimmte er begeistert zu. «Noch mehr?» fragte ich. «Was tun denn die Sachen noch?» – «Die Sachen tun nichts!» sagte er. «Es gibt einen andern Film; da hat das O die Sachen ausgelöscht, man sieht nur die Menschen – und es hat auch einen Teil der Menschen ausgelöscht und nur diejenigen mit der gleichen Betätigung übriggelassen.» Ich sagte: «Wie das...?» Er sagte:

«Es hat Kontinente fotografiert, auf denen man nur trinkende Menschen sieht. Hören Sie? Nur Trinkende. Geöffnete Münder, gespitzte Lippen, hastige Durstende und abschmekkende Genießende – Todschlaffe über Pfützen und spielende Kinder, die an Tröpfchen saugen, Kinder an der Mutterbrust und heimlich saufende Ammen... Und einmal: nur Lesende. Von allen Graden. Und einmal: nur Rauchende. Und einmal... Ja.»

«Was – und einmal?» fragte ich.

«Und einmal nur Liebende», sagte er leise. «Das war nicht schön. Hören Sie: das war ekelhaft. Welch ein Puppenspiel. Was treibt sie? Es ist, als bewegten sie sich nicht, als bewegte es sie. Das sind nicht mehr sie, die dieses Auf und Ab vollführen – das ist ein andres. Sie sehen es tausend und tausendmal beim O – schließlich scheint es eine zeremonielle Förmlichkeit, man möchte rufen: Aber so wechselt doch einmal! Tut doch einmal etwas andres! Nein – das Repertoire ist so klein... Sie nähern sich einander, gehen umeinander herum, lächelnd, und dann immer dasselbe, immer dasselbe... Sagen Sie: Haben wir uns auch so albern benommen, damals?»

«Sie wären sonst nicht hier», sagte ich.

«Aber das ist ja... ich bitte Sie: so albern. Und immer wieder –?»

«Man muß wohl an das Einmalige glauben», sagte ich. «Sonst kann man es nicht tun. Sähe man wirklich alles und alle – man könnte wohl nicht bleiben, da unten. Da O soll weiter fotografieren; sie werden es zum Glück nie zu sehen bekommen.»

«Doch. Nachher», sagte er. Wir schwiegen und schämten uns.

«Kennen Sie das Entzücken an der erotischen Häßlichkeit?» fragte der Dritte. Er war plötzlich da, hatte kaum Guten Wolkentag gesagt, er saß mit uns, neben uns, aber die Beine ließ er nicht baumeln, das hätten wir uns auch schön verbeten. Mit den Beinen baumelten nur wir. Wir warfen beide mit einem Ruck die Köpfe herum und starrten ihn an.

«Die Freude an der Häßlichkeit? von Frauen?» sagte der Dritte noch einmal.

Darüber war hier noch nie gesprochen worden; eine fast asketische Scham hatte uns gehindert, uns über das Allerselbstverständlichste auszusprechen. «Zeig mal, wie ist das bei dir –?» sagen die Kinder, als sei der andre ein fremder Erdteil.

Warten stand in der Luft; wir mußten etwas sagen; wir konnten nichts sagen. Der Dritte ignorierte eine Antwort, die nicht gegeben worden war, und fuhr fort:

«In Gerichtsverhandlungen haben sie oft dem fein gebildeten Angeklagten vorgehalten, er habe mit der eignen Reinmachefrau ein Verhältnis gehabt, es hörte sich an wie Vorwurf der Blutschande; habe er sich denn nicht geekelt? mit einem so tiefstehenden Geschöpf? so unter ihm? wie? Sie hatten das wohl nie gespürt, sonst hätten sie nicht so dumm gefragt. Daß plötzlich eine Figur aus der einen Sphäre in die andere gezogen wurde, was Freude am Spiel bedeutet: so, wie wenn einer auf einer Flasche bläst oder mit einem Violinbogen ficht oder – spaßeshalber – Hanfgras raucht. Man kann Hanfgras rauchen, dazu ist es unter anderm auch da, wenn Sie wollen, man tut es nur gemeinhin nicht. Aber auf einmal zuckt in einem das Spiel.»

Wir sahen uns an, mit jenem unausgesprochenen Tadel im Blick, der blitzschnell den andern verrät, die Einheitsfront von zweien gegen den Dritten herstellt, einig, einig, einig. Ich gab ein vorsichtiges Räuspern von mir, wie die Einleitung zu einer Einleitung... Der Dritte ließ es nicht dazu kommen.

«Man fällt so tief», sagte er, – «oh, so tief. Schlaffe Brüste, graue Wäsche, ein dummes Lachen, meliertes Haar, eine kommune Bemerkung, weit unter allem möglichen; verbildeter Körper, geweiteter Nabel, glitzernde Augen, die das Glitzern nicht gewohnt sind... so tief sinkt man. Man wühlt sich in das Unterste hinein, man verachtet sich und ist stolz auf diese Verachtung und böse auf diesen Stolz. Nägel sitzen im Fleisch, die man immer tiefer hereintreibt, wissen Sie. Es ist, wie wenn einer Pfützen aufleckt. Noch tiefer hinab, noch schmieriger, ja, ich gehöre zur Vorhölle, ich kann gar nicht tief genug fallen, da habt ihr mich ganz und gar, streck dem Kosmos die Zunge heraus, so, die breite, gereckte, dicke Zunge –»

Der Dritte schwieg.

Da sprachen wir zum erstenmal. Ich sagte: «Und nachher?» Auch er, mit dem ich dergleichen nie besprochen hatte, war mit von der Partie. «Armer», sagte er. «Und nachher?» Der Dritte sah uns voll an, er schaffte es, wir waren gegen ihn nur einer.

«Nachher –», sagte der Dritte. «Ich bin kein Armer. Ich bin reich – mir konnte nichts geschehen, nachher. Ich ging wieder im Licht, war emporgetaucht, die Scham hatte ich heruntergeschluckt und abgewaschen, sie war nicht mehr da. Ich brauchte nicht zu beichten, jeder meiner Blicke beichtete, aber sie sahen es nicht. Ich fühlte mich sicher, weil ich den moorigen Untergrund kannte, ich strauchelte nicht, ich fiel nicht, ich nicht. Ich war wie eine Bank: das war mein Aktienkapital für die Reserve, damit arbeitet man nicht alle Tage, aber es steht hinter einem, und es ist da. Man kann darauf zurückgreifen, wenn es not tut. Und es tut manchmal not, und wenn es soweit ist, dann ist da wieder dieser ungeheuerliche Sturz zwischen fünf Minuten vor acht, wo du telefonierst, bis um drei Viertel zehn – du fällst und steigst: mit eingezogenen Schwingen, die Süßigkeit der Säure auskostend, das Licht des Drecks, die tausend Tasten einer Orgel, von der nun die untersten, selten benutzten Bässe anklingen, so dumpf, daß das Ohr sie kaum noch hören kann. Herauf und herunter, herauf und herunter: ein Luzifer und ein Dunkelheitsbringer, ein Adler und ein Wischlappen, ein Höhenflieger und ein Tauchervogel. Man fällt so tief. Womit ich Ihnen einen schönen guten Abend zu wünschen die Ehre habe.» Weg war der Dritte.

Ich sah ihn an … «Man muß sich», sagte er, «die Zelle weit träumen, in die man eingesperrt wird. Sonst hält man es nicht aus. Wissen Sie, was er uns beschrieben hat?» – «Nein», sagte ich; «was?»

«Dauerlauf an Ort», sagte er. «Eine sehr gesunde Übung.»

4

Stoßseufzer einer Dame, in bewegter Nacht

Das Haus hatte sich verdunkelt. Lautlose Stille; bis in die entferntesten Winkel hörte man das Anschlagen des Kapellmeisterstabes. Nun setzten die Geigen ein – vierstimmig schleuderten sie übermütig die lustige Anfangsfanfare in den Saal. Lang hielten sie sie aus; dann kam das Fagott und streifte schelmisch undeutlich, als wüßte es nicht, wie man ihn tanzen könnte, den Walzer. Ein Kranz von Tönen löste ihn ab: alle aber hatten die süße Heiterkeit und die große Kraft. Die Hörer saßen unruhig auf ihren Sitzen; freudig dachten sie an die berühmten Anfangsworte:

«Ein Mädchen, sagst du, Pietro? Ei! Ein Mädchen.»

Alle wußten was kommen würde, kannten dieses süße Spiel der bologneser Liebesgeschichte, die die beiden Paare kreuzweise einander zuführt, umspielt von lustigen Tölpeleien der Zwillinge. Jetzt brachten die Trompeten, übertrieben schmetternd, den Trauermarsch des lebenden Toten – die Hörer schmunzelten, die Kanäle und die engen Brücken, die der Zug mit der schwankenden Bahre passieren mußte, tauchten auf – Pietro, die Signora Eliza Miquaela – alle, alle – und die Melodie sang, während drunten die Celli im Baß wie ein bewegtes Meer den Grundton des Taktes hielten...

Und dann geschah das, was bei der Ouvertüre dieses göttlichen Lustspiels immer geschieht: ich meine jene berühmte Stelle, die mit dem zweigestrichenen C in den Violinen beginnt und erst endigt, wenn die ersten Takte der einzigen Walzermelodie ertönen. Diese Passage hat von jeher eine eigentümliche Wirkung gehabt: die Hörer, schon ein wenig angespannt durch soviel Lustigkeit, sind erstaunt durch den plötzlichen Umschwung, die klagenden Läufe stimmen sie ernst, versetzen sie in unangenehme Lethargie, und ihre Gedanken springen ein wenig ab, weilen fern von dem Spiel... Es ist nicht anders zu erklären, als daß der Komponist hier sozusagen spintisiert hat und diese Neigung die Hörer eben dazu verleitet.

Der junge Mann saß oben im zweiten Rang und starrte

benommen auf den matt erleuchteten Vorhang: die Stelle kam, augenblicks ließ er seine Gedanken spazierengehen, der Komponist hatte befohlen. Wirre Einfälle und Bilder kamen: die Bar von neulich Nacht... Zwei hatten getanzt: sie in rotem Kleid, eine Französin mit habgieriger Männernase – sie hatten getanzt, wie es sonst eigentlich nur in den verbotenen Büchern geschieht – geil, rasend, wollustgeschwängert das Weib; ruhig, ernst, der Mann. Das Monocle im Auge, tanzte sie, indem sie sich an ihn heranwarf – mit dem Ausdrucke der letzten Lust im Gesicht: sie fühlte, fühlte – ihr ganzes Sein war Tastsinn. Einmal blieben sie stehen: sie bewegte sich ein wenig, fast unmerklich, und hatte doch damit instinktiv-genial die Marionette der Lust dargestellt – und dieses einzige Mal hatte er mit einer Kopfbewegung ein merkwürdiges Laster angedeutet: er hatte sich ein wenig über ihre Schulter in ihre Achsel hineingebeugt... Mit geschlossenen Augen... ihre spitze Zunge berührte seine Lider...

Das Bild kam blitzschnell, mit unerhörter Intensität – zugleich auch jenes, das sie zu Dritt tanzen ließ: die Dritte war eine rundliche Person – sie schwamm zwischen den beiden – man mußte glauben, von zwei Seiten kam ihr der Kitzel...

Und wieder – noch dauerte jene Stelle an – kam ihm die schmerzliche Sucht, all diese Lust in sich zu fassen... alle, alle –

Aber der Besitz befriedigte ja nicht: was nützte ihm die rundliche Cacotte, was nützte, was konnten die jungen Dinger helfen, die er beneidete? Nicht die Männer beneidete er, nicht Körper wollte er besitzen: jenes Letzte, Dritte wollte er in sich schlürfen, das, was auf obszönen japanischen Bildern die ineinandergekrampften Paare sanft die Augen schließen ließ – über ihnen schwebte... An den Sommerabenden war es am schlimmsten: heiße junge Mädchen mit ihren Liebsten, die begatteten sich mit den Blicken, alle waren erhitzt, aufgeregt: und er kam sich keineswegs zurückgesetzt, verlassen vor – aber er beneidete sie um ihre Zusammengehörigkeit, um ihre Vertrautheit... Wie sie im Gleichtakt lebten! Mit welch ungeheurer Selbstverständlichkeit die Mädchen Lust verursachten, Lust genossen. Nach außen hin verschlossen, öffneten sie sich ohne Scham dem Geliebten, gaben sich ganz, elementar wie eine Naturkraft ... Beneidete er sie um dies? Um was? Um ... um ...

Schwingend, in hohen Akkorden, kam der Walzer.

Um nichts! Er besaß mehr als sie, mehr als alle, die ihre jungen Puten durch einen lauen Sommerabend und einige heiß geflüsterte Dummheiten ganz ausschöpfen konnten. Diese war nicht auszuschöpfen. Bis zu der Grenze besaß er sie: dann kam das Unergründliche, das Letzte.

Der Walzer tönte jetzt voll, laut und siegreich wirbelnd.

Sie war ein Mann, beinah ein Mann.

Dies wundervolle ‹Beinah› nahm ihm den Atem – Glück! Glück!

Die Ouvertüre verhallte. Piano brummelte noch ein Baß das Anfangsthema.

Alle saßen gespannt. Der Vorhang bewegte sich leise.

Er aber fühlte, daß sie eine Einzige war.

SIE, ZU IHM

Ich hab dir alles hingegeben:
mich, meine Seele, Zeit und Geld.
Du bist ein Mann – du bist mein Leben,
du meine kleine Unterwelt.
Doch habe ich mein Glück gefunden,
seh ich dir manchmal ins Gesicht:
Ich kenn dich in so vielen Stunden –
nein, zärtlich bist du nicht.

Du küßt recht gut. Auf manche Weise
zeigst du mir, was das ist: Genuß.
Du hörst gern Klatsch. Du sagst mir leise,
wann ich die Lippen nachziehn muß.
Du bleibst sogar vor andern Frauen
in gut gespieltem Gleichgewicht;
man kann dir manchmal sogar trauen...
aber zärtlich bist du nicht.

O wärst du zärtlich!
Meinetwegen
kannst du sogar gefühlvoll sein.
Mensch, wie ein warmer Frühlingsregen
so hüllte Zärtlichkeit mich ein!
Wärst du der Weiche von uns beiden,
wärst du der Dumme. Bube sticht.
Denn wer mehr liebt, der muß mehr leiden.
Nein, zärtlich bist du nicht.

KRITIK

Da oben spielen sie ein schweres Drama
mit Weltanschauung, Kampf von Herz und Pflicht:
Susannen attackiert ein ganz infama
Patron und läßt sie nicht.

Ich sitze im Parkett und zück den Faber
und schreibe auf, ob alles richtig sei;
Exposition, geschürzter Knoten – aber
ich denk mir nichts dabei.

Mein Herz weilt fromm bei jenem lieben Kinde,
das lächelnd eine Kindermagd agiert:
ich streichle ihr im Geiste sehr gelinde,
was sie so lieblich ziert.

Nun sieh mal einer diese süßen Pfoten,
dies Seidenhaar mit einem Häubchen drauf –
es gibt da sicher manch geschürzten Knoten:
ich löst ihn gerne auf.

Wer sagte da, daß ich nicht sachlich bliebe?
(Nu sieh mal einer dieses schlanke Bein!)
Begeisterung, Freude am Beruf und ‹Liebe› –:
So soll es sein!

RHEINSBERG

ein Bilderbuch für Verliebte

Unsern lieben Frauen
M. W.
K. F.
C. P.

... das beginnt nach der Liebeserfüllung; nicht vorher. Da entfalten die Seelen ihre volle Stärke, nicht vorher. Da geht der Kampf in voller Rüstung, nicht vorher. Da stehen die Charaktere auf gleichem Feld, nicht vorher. Da sind die Schranken zwischen zwei Menschen dahin, da erst, nicht vorher. Alfred Kerr

Müde und bekränzt streckt sich der Sommer ins Gras. Heinrich Mann

Seinen eigentlichen Anfang nahm das Abenteuer erst, als sie in Löwenberg ausstiegen. Der D-Zug ruhte lang und dunkel in der Halle unter dem Holzdach – sie durchschritten einen Tunnel, oben, in hellem Sonnenlicht, stand die Kleinbahn, wie aus Holz gefügt, steif und verspielt.

Sie stiegen ein.

«Claire?»

«Wolfgang?»

«Diese Bahn scheint noch lange hier zu stehen... machen wir einen kleinen Spaziergang?»

«Setz dich hin und falte die Hände! Sie geht gleich ab.»

Der Zug ruckte und ruckelte sich gemächlich durch Salatgärten, Hofmauern. Der Horizont flimmerte blendend weiß... War es eine Schönheit, diese Landschaft? – Nein: da standen Baumgruppen, durch nichts ausgezeichnet, das Land wurde wellig in der Ferne, versteckte ein Wäldchen und zeigte ein anderes – man freute sich im Grunde, daß alles da war... Das Maschinchen schnob und klingelte zornig, durch den staubigen Rauch hindurch klingelte es melodisch, wie eine läutende Kirchturmsglocke bei Sturm.

«Wolf, den Reiseführer!»

Sie hatten ihn im D-Zug liegen lassen – er hatte ihn im D-Zug liegen lassen.

Sie hielten, mitten im Walde, auf der Strecke. Die Köpfe heraus; die Beamten waren zurückgelaufen, hatten Schaufeln mitgenommen: die Lokomotive mußte Funken ausgeworfen haben, ein kleiner Brand war entstanden...

«Ich will mitlöschen.»

Er kugelte den sandigen Abhang herunter; die Reisenden lachten. Oben stand Claire und verdrehte die Augen.

«Du mußt ja...!»

Er kam zurück, ganz bestaubt, lächelnd, glücklich. Er hatte sich wieder einmal betätigt. Die Beamten kamen, stiegen auf, der Zug ruckte an...

«Eigentlich...»

«Na?»

«Ich finde es heiter. Denk mal, mein Papa und mein Mama sitzen jetzt im Kontor, fahren in der Stadt herum und glauben ihr Töchterchen wohlgeborgen im Schoße der treusorgenden Freundin. Hingegen...»

«Hingegen...?»

«Na, ja, treusorgen sorgst du ja für mich...»

Der Jäger nebenan hatte schon lange in sich hineingelacht. Er saß da, grün, bepackt, schwer und braungebrannt. Man hatte, wenn man ihn sah, die Empfindung von ganz frühen, feuchten Morgen, ein Mann tappt durch den halbdunklen Wald, es riecht kräftig und gut... Das kleine, runde Loch der Büchse guckte unheilverkündend, schwarz und dunkel in die Luft: kleine Kugeln werden herausfliegen, das Reh, auf das es morgen gerichtet wird, lief vielleicht jetzt gerade mit seinen Gefährten zur Quelle, trank und war zierlich im Walde verschwunden... Der Jäger stand auf, stopfte sich eine Pfeife und sagte beim

Herausgehen: «Schonzeit, junger Mann, Schonzeit!» – und trampfte lachend davon.

Das Coupé war erfüllt von ihrem Schreien, das die rumpelnden und klirrenden Geräusche übertönen sollte.

Man verständigte sich nur schwer:

«... Sonne weit über das Land ...»

«... wie? Sonne reit über das Land? ...»

«... nein ... Sonne weeiit ... Land ... Seh mal: 'ne Akazie! 'ne blühende Akazie, lauter blühende Akazien!»

«Is gar keine, is 'ne Magnolie!»

«Hach! Also wer weiß denn von uns beiden in der Botanik Bescheid? Ich oder ich?»

«'ne Magnolie is es.»

«Meine Liebe, ich müßte bedauern, es mit einem kräftig geführten Schlag gegen Sie nicht bewenden lassen zu können. Alle Wesensmerkmale der Akazie deuten auch bei diesen Bäumen auf eine solche hin.»

«Is aber 'ne Magnolie.»

«Herr Gott, Claire! Siehst du denn nicht diese typisch ovalen Blätter, die weißen, kleinen, traubenförmigen Blütenstiele! – Mädchen!»

«Aber ... Wölfchen ... wo es doch 'ne Magnolie is ...»

Sie erstickte in Küssen.

Dann galt es noch eine Bauersfrau nachzuahmen, die auf der letzten Station hochgeschürzt und breitbeinig stehengeblieben war, um sich vermittels ihres zweiten Unterrocks zu schneuzen. Claire erwies sich hierbei als geschickt und brauchbar.

Endlich kamen sie aber doch an.

Es zeigte sich, daß das Hotel, das sich schon durch einen Anschlag im Zuge als altbekannt und mit einer gepflegten Küche versehen angepriesen hatte, durch einen Wagen, zwei Pferde und einen Bediensteten vertreten war. Dieser Mann mußte die Gepäckstücke holen, die man in Berlin sorgfältig aufgegeben hatte: zwei winzig kleine Köfferchen. Sie wurden verladen; die Reisenden stiegen ein. Sie rutschten auf den schwarzen, hier und da ein wenig aufgeplatzten Wachstuchkissen der Sitze herum; die Fenster klirrten, die beiden machten sich durch weitausladende Handbewegungen verständlich. Der Wagen war leer, die Chaussee staubig und öde. Einige hundert Meter saßen sie manierlich, aber schon an der Ecke, die das Anwesen des Gütlers Johannes Lauterbach und das der Post bilden, lagen sie in lautem Hader, wessen Koffer durch seine Kleinheit am meisten Verdacht erregen werde. Sie nannten diese Reisegegenstände ‹Segelschweine›, und die Claire rang die Hände, Wolf sei ein Schandfleck. Sie, ihrerseits, wahre das Dekorum. Sie schwatzten fortwährend, die Claire am heftigsten. Ihr Deutsch war ein wenig aus der Art geschlagen. Sie hatte sich da eine Sprache zurechtgemacht, die im Prinzip an das Idiom erinnerte, in dem kleine Kinder ihre ersten lautlichen Verbindungen mit der Außenwelt herzustellen suchen; sie wirbelte die Worte so lange herum, bis sie halb unkenntlich geworden waren, ließ hier ein ‹T› aus, fügte da ein ‹S› ein, vertauschte alle Artikel, und man wußte nie, ob es ihr beliebte, sich über die Unzulänglichkeit einer Phrase oder über die andern lustig zu machen. Daß sie Medizinerin war, wie sie zu sein vorgab, war kaum glaubhaft, jedoch mit der Wahrheit übereinstimmend. Sie spielte immer, gab stets irgendeiner lebenden oder erdachten Gestalt für einige Augenblicke Wirklichkeit...

Der Wagen hielt. Während sie ausstiegen:

«Paß auf, Frauchen, wo ist der Koffer mit dem falschen Geld? – Ah da...»

Der Hausknecht ließ den Mund weit offen stehen, sperrte die Augen auf...

Freundlich geleitete sie der alte Wirt in ein Zimmer des ersten Stockwerks. Es war kahl, einfach, blumig tapeziert. Holzbetten standen darin, ein großer Waschtisch, eine Vase mit einem künstlichen Blumenstrauß – an der Wand hingen zwei Pendants: ‹Eroberung Englands durch die Normannen›, und in gleichartigem Rahmen und symmetrisch aufgehängt ‹Großpapachens 70. Geburtstag›. Die Tür schloß sich, sie waren allein.

«Claire?»

«Wolfgang?»

«Jetzt weiß ich nicht, sollte ich den Kofferschlüssel zu Hause vergessen haben...?»

«My honey-suckle», und sie drückte ihm einen heftigen Kuß auf den Mund, während ihr Gesicht rachsüchtig und boshaft erglänzte, und stieß ihn von sich:

«Och, der kleine Jungchen muß ja alles vergess – psch, psch, psch...»

Und man wußte nicht, ob diese Töne eine wiegende Mutter nachahmten oder ganz etwas anderes.

«Pack aus, mein Hulle-Pulle!» –

Schwer seufzend packten sie aus, räumten ein.

«Ja, ich bin nu so weit. Jetzt frisiere ich mich, un denn gehe ich spaziers. Un du?»

«Das überlasse du nur mir; es wird dir dann seinerzeit das Nötige mitgeteilt werden.»

Der Stil war im großen und ganzen einheitlich verzerrt. Sie sagten sich häufig Dinge, die nicht recht zueinander paßten, nur um diese oder jene Redewendung anbringen zu können, den andern zu irritieren, sein Gleichgewicht zu erschüttern... Sie gingen herunter...

Da war der Marktplatz, der mit alten, sehr niedrigen Bäumen bepflanzt war, schattig und still lag er da. Sie schritten durch ein schmiedeeisernes Tor in den Park. Hier war es ruhig. In dem einfachen weißen Bau des Schlosses klopfte ein Handwerker. Sie gingen durch den Hof wieder in den Park, wieder in die Stille...

Noch brausten und dröhnten in ihnen die Geräusche der großen Stadt, der Straßenbahnen, Gespräche waren noch nicht verhallt, der Lärm der Herfahrt... der Lärm ihres täglichen Lebens, den sie nicht mehr hörten, den die Nerven aber doch zu überwinden hatten, der eine bestimmte Menge Lebensenergie wegnahm, ohne daß man es merkte... Aber hier war es nun still, die Ruhe wirkte lähmend, wie wenn ein regelmäßiges, langgewohntes Geräusch plötzlich abgestellt wird. Lange sprachen sie nicht, ließen sich beruhigen von den schattigen Wegen, der stillen Fläche des Sees, den Bäumen... Wie alle Großstädter bewunderten sie maßlos einen einfachen Strauch, überschätzten seine Schönheit und ohne das Praktische aller sie umgebenden ländlichen Verhältnisse zu ahnen, sahen sie die Dinge vielleicht ebenso einseitig an, wie der Bauer – nur von der andern Seite. Nun, hier in Rheinsberg erforderten die Gegenstände nicht allzuviel praktische Kenntnis, man war ja nicht auf einem Gut, das bewirtschaftet werden sollte. – Sie kamen an den Rand eines zweiten Sees, an eine Bank. Stille...

«Wolfgang?»

«Claire?»

«Glaubssu, daß es hier Bärens gibs? Eine alte Tante von mir is beinah mal von einem...»

«...von einem Bären zerrissen worden?»

«Nein.» Sie war ganz empört. «Habe ich das gesagt? – Ich meinte nur... Aber, du – beschützs mich doch, ja?»

«Ich schwöre dir...»

«Hm.»

Wieder war es sehr still. Die Claire saß da und sah sehr bestimmt in das schmutzig-grüne Wasser.

«Also paß mal auf. Warum ist hier nicht überall der zweite Friedrich? So wie er in Sanssouci überall ist. Auf jedem geharkten Weg, an jedem Boskett, hinter jeder Statue? – Hier hat er gelebt. Gut. Wüßtest du es nicht, würdest du es merken?»

«Nein. Vielleicht muß man älter, machtvoller sein, um die Welt um sich zu formen nach seinem Ebenbilde... Wer ist heute so wie der Alte war? Sehen unsere Wohnungen aus, wie wenn sie nur und ausschließlich dem Besitzer gehören könnten? ...Ein Specht, siehst du, ein Specht!»

«Wölfchen, es ist kein Specht. Es ist eine Schleiereule.»

Er stand auf. Mit Betonung:

«Ich habe ein außerordentlich feines Empfinden dafür, ich vermute, du bist gewillt, dich über mich lustig zu machen. Wird diese Vermutung zur Gewißheit, so schlage ich dich nieder.»

Ihr Gelächter klang weit durch die Fichten.

Das Schloß! – Das Schloß mußte besichtigt werden. Man schritt hallend in den Hof und zog an einer Messingstange mit weißem Porzellangriff. Eine kleine Glocke schepperte. Ein Fenster klappte: «Gleich!» – Eine Tür oberhalb der kleinen Stiege öffnete sich, und es kam nichts, und dann tappte es, und dann schob sich der massige Kastellan in den Hof. Als er der Herrschaften ansichtig wurde, tat er etwas Überraschendes. Er stellte sich vor. «Mein Name ist Herr Adler. Ich bin hier der Kastellan.» Man dankte geehrt und präsentierte sich als Ehepaar Gambetta aus Lindenau. Historische Erinnerungen schienen den dicken Mann zu bewegen, seine Lippen zuckten, aber er schwieg. Dann:

«Nu kommen Sie man hier hinten rum, – da ist es am nächsten.» –

Und schloß eine bohlene Tür auf, die in einen dunklen Steinaufgang hineinführte. Sie kletterten eine steile Treppe mühsam herauf. Oben, in einem ehemaligen Vorzimmer, lagen braune Filzschuhe auf dem Boden, verstreut, in allen Größen für Groß und Klein, zwanzig, dreißig – man mochte an irgendein Märchen denken, vielleicht hatte sie eine Fee hierher verschüttet, oder ein Wunschtopf hatte wieder einmal versagt und war übergelaufen...

Die Claire behauptete: *So* kleine gäbe es gar nicht. –

«Ih», sagte Herr Adler, «immer da rein; wenn sie auch ein bißchen kippeln, des tut nichts.»

Er aber war nicht genötigt, solche Schuhe anzuziehen, weil er von Natur Filzpantoffeln trug.

Die Zimmer, durch die er sie führte, waren karg und enthaltsam eingerichtet. Steif und ausgerichtet standen Stühle an den Wänden aufgebaut. Es fehlte jene leise Unregelmäßigkeit, die einen Raum erst wohnlich erscheinen läßt, hier stand alles in rechtem Winkel zueinander... Herr Adler erklärte:

«...und düs hier sei das sogenannte Prinzenzimmer, und in diesem Korbe habe das Windspiel geschlafen. Das Windspiel – man wisse doch hoffentlich...?»

«Zu denken, Claire, daß auch durch deine Räume einst Liebende der Führer mit beredtem Munde leitet...»

«Gott sei Dank! Konnt er ja! Bei uns war es piekfein.»

Und dann sagte Herr Adler, dies seien chinesische Vasen, und dieselben hätte der junge Graf Schleuben von seiner Asienreise mitgebracht.

Aber hier – man trat in ein anderes höheres Zimmer – hier sei der Gemäldesaal. Die Bilder habe der berühmte Kunstmaler Pesne gemalen, und die Bilder seien so vorzüglich gemalen, daß sie den geehrten Besuchern überallhin mit den Augen folgten. Man solle nur einmal die Probe machen! Herr Adler gab diese Fakten stückweis, wie ein Geheimnis, preis. Es war, als wundere er sich immer, daß seine Worte auf die Besucher keine größere Wirkung machten. – Herrgott, die Claire! – Sie begann den Kastellan zu fragen. Wolfgang wollte sie hindern, aber es war schon zu spät. –

«Sagen Sie mal, Herr Adler, woher wissen Sie denn das alles, das mit dem Schloß und so?»

Herr Adler leitete sein Wissen von seinem Vorgänger, dem Herrn Breitriese, her, der es seinerzeit wieder von dem damaligen Archivar Brackrock habe. –

«Und dann, was ich noch fragen wollte, Herr Adler, hat es hier wohl früher ein Badezimmer gegeben?»

«Nein, aber *wir* haben eins unten, wenn es Sie interessiert...»

Sie dankten. Herr Adler, der noch zum Schluß auf eine Miniatur, ein Geschenk der Großfürstin Sofie von Rußland, hingewiesen hatte, verfiel plötzlich in abruptes Schweigen. Und erst nachdem das Trinkgeld in seiner Hand klingelte, blickte er zum Fenster hinaus und sagte, ein wenig geistesabwesend: «Dies ist ein ehrwürdiges Schloß. Sie werden die Erinnerung daran Ihr ganzes Leben bewahren. Im Garten ist auch noch die Sonnenuhr sehenswert.»

Claire unterließ es nicht, Wolf ein wenig zu kneifen, und an der blumenkohlduftenden Kastellanswohnung vorbei schritten sie hinaus, ins Freie.

Am Nachmittag fuhren sie auf dem See herum. Er ruderte, und sie saß am Steuer, während sie dann und wann drohte, sie werde ihre graue, alte Familie unglücklich machen, sie habe es nunmehr satt und stürze sich ins Wasser. Er werde sowieso bald umwerfen. Nein – sie landeten an einer kleinen Insel. Ein paar Bäume standen darauf. Sie lagerten sich ins Gras... Ein kühler Wind strich vom See herüber. Die Uferlinien waren unendlich fein geschwungen, die hellblaue Fläche glänzte matt...

«Sehssu, mein Affgen, das is nu deine Heimat. Sag mal: würdest du für dieselbe in den Tod gehen?»

«Du hast es schriftlich, liebes Weib, daß ich nur für dich in den Tod gehe. Verwirre die Begriffe nicht. Amor patriae ist nicht gleichzusetzen mit der ‹amor› als solcher. Die Gefühle sind andere.»

«Nun, ich bescheide mich.»

Und, nach einem langen Träumen in den hellen Himmel, – er war so hell, so hell, daß die blitzenden Funken vor den Augen tanzten, sah man lange hinein –:

«Wölfchen, du hast doch niemalen eine andere geliebt, vor mir?»

«Nie!»

Es prickelte, so über die Sehnsucht der Bürger zu spotten, über das, was sie Liebe nannten, über ihre Gier, stets der erste zu sein... Sie waren beide nicht unerfahren.

Stimmen kamen, Ruderboote, Familien, die hier zu einem Picknick landen wollten. Riesige, blecherne Vorratskörbe bedrohten wie Geschütze das Lager der Friedlichen... Auf und davon! –

Mitten im See: «Söh mal, du muß mir auch ma rudern gelaß gehabt haben –! Mich möcht diß auch mal – buh.»

«Bitte, rudere!»

Sie wechselten, das Boot schwankte.

Die Claire ruderte. Es war eine Freude. Einmal verlor sie beide Ruder. Er mußte mit dem Stock rudern. Endlich fingen sie die Hölzer wieder, die weitab auf dem Wasser getrieben hatten.

«Ich kann es sehr schön. Ich konnt ja auch mal ohne Ruder – ja, konnt ich! Lach nich, du Limmel! Hab ich fürleichs nicht recht, na!»

Und ruderte, daß sie prusten und keuchen mußte, wie eine kleine asthmatische Dampfmaschine. Die Sonne ging schon unter, als sie anlegten.

Er bezahlte. Die Claire schwätzte mit der Bottsverleiherin. Er hörte gerade: «So – also ein kräftiger Menschenschlag ist hier, wie?»

«Tje, Fröln, *wir* vertobaken uns Jungen ja nich schlecht!»

Sie lachten noch, als sie am Hotel waren.

Wie friedlich dieser Abend war; sie saßen unter den niedrigen dunklen Bäumen und warteten auf das Essen.

«Claire?»

«Wolfgang?»

«Mir ist so...»

«Gut so, mein Junge.»

«Nein! Spaß beiseite, mir ist mit dem Magen nicht recht.»

«Das ist Cholera. Wart, bis du was zu essen bekommst.»

«Nein, hör doch, ich hab so ein Gefühl, so leer, so...»

«Typisch. Das ist geradezu – bezeichnend ist das. Du stirbs, Wölfchen.»

«Die richtige Liebe deinerseits ist das auch nicht! Erst lasse ich dich auf Medizin studieren, und jetzt willst du nich mal durch dein Hörrohr kucken.»

«Ach Gott, nicht wahr, was heißt denn hier überhaupt! – Nicht wahr? – Wer denn schließlich...»

Aber sie ging doch mit zur Apotheke, die hellbraun und ganz modern sachlich eingerichtet war; weiße Büchsen und Töpfe aus Porzellan reihten sich auf Borden, ein leichter Baldriangeruch durchzog die Räumlichkeiten. Hier händigte man dem Kranken nach eingehender Rücksprache und leutseligem Reden an den Provisor eine kleine Flasche mit einer dunkelbraunen Flüssigkeit ein. Sie half. Gott sei Dank.

Dann aßen sie, und nach Tisch rauchte die Claire. Drüben am Haus saßen die Herren, die jeder Zugereiste als Honoratioren zu bezeichnen pflegt. Juristen, Beamte, der Apotheker, der durch Bruch des Berufsgeheimnisses mit Hinweis auf die beiden der kleinen Runde fettes Gelächter entlockte.

«Prost, Wolf, auf die Alten!»

«Auf die Alten!»

Die Gläser klangen, und drüben die Gäste, die in langer Tischreihe am beleuchteten Haus speisten, blickten herüber. Die Claire blies Ringe.

«Es ist eine maßlose Frechheit», entschied sie.

«Hm?»

«Hierher zu fahren. Wenn das niemand merkt! Aber es merks niemands – paß mal auf, es merks niemand.»

«Ne quis animadvertat! Prost.»

«Weißt du, lieber reise ich mit einem Flohzirkus wie mit dir.»

«Als, Claire, als mit dir.»

«Ach Gott, konnste auch besser mir nicht zu bekorrigieren zu gebrauchs gehabs habs! Ich spreche dir das schiere Hochdeutsch!»

«Hm. – Eingeweihte wissen davon Kantaten zu singen. Trinkst du noch was?»

«Ob ich noch wen trinke? – Nö.»

«Ich finde, wir gehen noch ein bißchen, hä?»

Sie schlenderten durch den dunklen Ort. Nach langen, schwarzen Häuserstrecken kam eine Bogenlampe, umschwirrt von surrenden braunen Flecken. Insekten, die durchaus in das Licht gelangen wollten.

«Claire?»

«Wölfchen?»

«Die Tiere da oben, siehst du?»

«Ja.»

«So auch der Mensch.»

Sie blieb stehen.

«Wieso... bitte?»

«Wie jene Lebewes...»

«Bitte – was hier zu symbolisieren is, symbolisier ich mir alleine. Überhaupt mußt du schlafen gehen. Du sprichst ja schon ganz... anders. Soll ich dir aufs Aam nehmen?»

«Buhle!»

An dunklen Fensterläden kamen sie vorbei und an langen Mauern; hinter rötlich beleuchteten Gardinen saßen Familien und spielten Karten... Einmal traten sie in einen Hof, stolperten über Pflastersteine und blickten durch ein Fenster in einen Saal.

Drinnen spielten sie Theater.

Von der Bühne sah man nur einen kleinen, gelben, hellen Winkel; aber man hörte alles. «Hoho», sagte eine überlaute Frauenstimme im Alt, «da werden wir meinen Schwager fragen müssen. Ah, da kommt er ja...»

Das Publikum schnaufte und zuckte wie eine vielköpfige Bestie im Dunkel. Man sah Schultern sich bewegen, Köpfe sich hin- und herwenden...

«Himmel, der Fritz», kreischte jemand auf der Bühne, und die Menge der Theaterbesucher lachte, ihre Körper tauchten auf und nieder, man murmelte...

«Wie merkwürdig», sagte Wolfgang, «draußen ist es totenstill, der Mond scheint, und hier drinnen spielen sie ein Scheinleben. Und wir kommen hinzu, wissen nichts von den Voraussetzungen des ersten Akts und bleiben ernst.»

Es war still, der hell erleuchtete Winkel der Bühne blieb leer; einer mußte wohl eine zum Lachen reizende Geste gemacht haben, denn jetzt lachten die Frauen hell kreischend, während die Männer beifällig grunzten. Sie beugten sich weiter vor, man konnte undeutlich und durch das Fensterglas verschoben den übrigen Teil der Bühne erkennen, der eine Zimmereinrichtung mit gelber Tapete und gemalten Einrichtungsgegenständen darstellte; ein Mann in grüner Schürze hielt dort oben Zwiesprache mit einer robusten Weibsperson in den Vierzigern. Als Souffleurkasten diente ein alter Strandkorb. Sie hörten die beiden sagen:

«So, Er soll hier reinemachen (in der Tat hielt der Mann einen Besen in der Hand), und statt dessen scharwenzt Er mit den Mädels! Paß Er nur auf, Er Liederjan.» – Hier kicherte das Publikum. – «Ich werde Ihm die Suppe schon versalzen. Hier und hier und da und da!»

Das Publikum lachte: «Hoho!» und oben bekam der Mann, der bis dahin mit gutgespielter Teppenhaftigkeit den Kopf beflissen-horchend geneigt hielt, einige patschende Schläge ins Gesicht... In diesem Augenblick trat ein junges Mädchen auf die Bühne, und hier nahm die Heiterkeit des Publikums einen so beängstigenden Grad an, daß die beiden unwillkürlich vom Fenster zurückfuhren.

«Der erste Akt!» seufzte er. «Uns fehlt der erste Akt!»

«So ein kleiner Junge, will sich das Theater besehens! Marsch zu Bett!»

Und sie gingen.

Als sie die Treppe hinaufkletterten, hörten sie noch das lachende Lärmen der angeregten Honoratioren.

«Claire, belustigen sich die ackerbautreibenden Bürger über uns? – Ich bin fürchterlich in meiner Wut.»

«Ja, mein Jungchen. Nu geh man zu Bett.»

Ihre großen, breitschultrigen Schatten tanzten an der Wand, weil die Kerzenflamme tanzte… Die Claire stand vor dem Spiegel und löste ihre Haare auf.

«Wölfchen, paß ma auf; da war ich noch 'n kleiner Mädchen, un da bin ich bei meine Freundin, die Alice gegangen – heb mir doch mal die Nadel auf! – und da war ein Herr, wie er hieß, weiß ich nicht mehr, und der hat gesagt, mein Haar ist wie aus Seide gesponnen. Ja.»

«Na – und –?»

«Nüchs.»

Die Claire liebte es, Geschichten zu erzählen, die, ohne Pointe, kleine, anspruchslose Begebenheiten ihrer Kindheit enthielten. Sie verlangte, daß man sie sich oft anhörte, und wurde zornig erregt bei dem Einwand, man kenne dies.

«Du bist gar nicht freundlich zu mir. Du liebst mich nicht mehr.»

Einem seelischen Chamäleon gleich, bot sie nun den Anblick einer Liebeskranken. Der Mund war schmerzlich verschoben, der Oberkörper leicht geneigt, die Hände krampften sich.

«Ich meinerseits liege im Bett», sagte er. Die Kerzenflamme verlosch…

Unten schwatzte das Wirtshauspublikum. Man hörte, wie der Wirt seinen Rundgang bei den Tischen veranstaltete:

«Nun, auch die Frau Schwester wieder gesund? – Ja, ja, so gehts. Hat es den Herrschaften geschmeckt? Ja…»

Oben aber sagte die Claire gedankenvoll, langsam:

«Ich möchts dir nu nehmen und einem in sein Gulasch werfen. Seh mal, er wundert sich bestimmt. Wie –?»

Aber dann schwieg sie.

In der Nacht wachte er auf. Vorsichtig bauschte er den Vorhang, der weiß und faltig am Fenster leise vom Nachtwind bewegt war. Der Mond gespensterte in den Bäumen, ein Obelisk stand seitwärts drohend da und warf einen scharfen Schatten. Das Laub rauschte auf. Warum reagieren wir darauf wie auf etwas Schönes, fühlte er. Es ist doch nur ein durch Schallwellen fortgepflanztes Geräusch… Und überließ sich gleich darauf willenlos diesem ruhigen Rauschen, das ein wenig traurig war, aber Hohes ahnen ließ und die Brust weiter machte… Er fuhr herum. Eine ganz verschlafene Kinderstimme sagte unter einem Wasserfall von Haaren:

«Is niemand in mein klein Bettchen, und soll aber jemand da sein, und Klein-Clärchen is ganz allein…»

Er trug sie zurück.

Als er früh am Morgen vom Friseur zurückkam, war die Claire am Aufstehen. Es war das so eine Sache: die erste Viertelstunde pflegte sie mit feiner Stimme ein entzückend klingendes Gemurmel zu stammeln, unzusammenhängende Silben hervorzubringen und in den verschiedensten Nachahmungen von Tierstimmen zu paradieren. Kaum hatte er die Tür hinter sich zugezogen, so begrüßte ihn das Winseln und Mauen einer neugeborenen Katze.

«Aufstehen! Claire! Aufstehen! Alle Leute sind schon nach Tisch.»

Man mußte ein wenig übertreiben – es half sonst nichts.

«Buh!»

«Ja, ich weiß. Komm!»

Und zog ihr die Bettdecke fort.

Später:

«Wölfchen, zieh ich nu das Grüne oder das Weiße an?»

«Hm, welches möchtest du denn gerne anziehen?»

«Das… das weiß ich nicht. C'est pourquoi ich dich frage.»

«So zieh denn das Weiße an.»

«Schön. Was *dieser* Junge mich tyrannisiert, das ist nicht zu sagen. Haach!»

Pause.

«Wolfgang?»

«Claire?»

«Meinst du würklich, daß ich das Weiße anziehen soll? Seh mal… ich meine, mit den Fleckens un so…»

«Also: das Grüne.»

«Schön.»

Nach einer kleinen Weile:

«Ja, haber – ich möcht doch aber gern...»

«Was möchst du gern?»

«Das Grüne –»

«Aber ich sage dir ja, ziehs an!»

«Ja... aber... wenn dus mir sagst, machts mir gar keinen Spaß. Du mußt sagen: Ziehs nich an, mußt du sagen, oder: zieh das Weiße an, tja.»

Und bevor er sich noch erholt hatte, fing sie an, ein wundervolles Gezänk von sich zu geben, nach Art gewisser Frauen, die sich beleidigt glauben und aus ihren Gefühlen auch dem Dienstmädchen gegenüber kein Hehl zu machen pflegen. Das Ganze paßte nicht recht her, aber sie war im Zuge, da war nichts zu machen.

«So? – Also in *meinem* Hause lasse ich mir das nicht sagen, ich nicht! Sie stauben meine kostbaren Seidenmöbel nicht ab, Sie... Geschöpf! – Aber mein Mann, der Bergassessor...»

Er floh. Noch auf dem Korridor hörte er sie wie einen Schusterjungen pfeifen.

Auf den Kaffeetisch schien die Sonne; hier roch es stark und ländlich nach Milch, Butter und einer frischgewaschenen Decke. Bienen und dicke Fliegen schwammen in einem alten Honigglas, das der vorsorgliche Wirt mit Zuckerwasser gefüllt hatte.

Sie kam herunter, eine Weile sprachen sie nicht. Sie aß... mein Gott, sie aß und hatte Hunger, den richtigen Morgenhunger des Langschläfers.

«Claire?»

«Wolf?»

«Ich denke, wir fahren heute morgen ein wenig spazieren.»

«So, und ich? – Mich nimmt er gar nicht mit! – Ich will auch mit!»

«Ich sagte: wir.»

«Buh, buh!»

«Ja, du kannst auch mit. Nu weine man nich und eß.»

«Wolfgang, ein so wunderschönes Deutsch sprichst du ja auch nicht, nein, das kann man nicht sagen. Aber keine Sorge: Meine Bemühungen werden mich das Ziel schon erreichen lassen.»

Sie konnte ganz gewählt sprechen, wie es wohl alte Erzieherinnen manchmal tun, mit übermäßig stark betonten Endsilben und weit nach hinten gerutschten Gaumen-‹R›s.

«Mein Papa sagt immer, Wölfschen, ich spräche keinen guten Deutsch. Wie? – Ja, er ist ein erfahrener Greis, aber wie steht es ihm an zu sprechen ‹Stoße nicht in das Horn des Leichtsinns, mein Kind, und witzele nicht über so schwerwiegende Dinge!› Ich frage dich: Hat er unrecht oder hat er unrecht? Zwei Möglichkeiten kommen nur in Betracht.»

«Er hat recht. Da kommt der Wagen.»

Es war sein Glück. Denn schon hatte sie sich hochaufgerichtet und stand da, die Hände fest auf Tisch gedrückt und schielte...

Leicht und schnell rollte der Wagen durch die grüne Allee.

«Wolfgang?»

«Claire?»

«Merks du nichs?»

«Wie bitte?»

«Obs du nichs merks?»

«Nein.»

«Na, aber süh mir mal an!»

«Bei Gott, nichts. Zuckt die Achseln.»

«Du mußt das nicht mitsprechen, was in Klammern steht. Zuckt die Achseln, das steht in Klammern, weißt du? – Aber merkst du nichts?»

«Du hast dich gewaschen.»

«P! – Aber... ein blaues Band hatt ich gestern durch mein Hemd gezogs, un nu nich mehr. Du erlaubs mirs ja nich. Du ja nich.»

Bot sie nicht das Aussehen einer sichtlich Gekränkten, die schmollend die bessern Gefühle des Geliebten anrief?

«Du hast ja 'n Freund, der wo sagt, bunte Bänders in der Wäsche tragen nur Kellnerinnen! Konnst deinem Freund gesagt haben, er konnt bei mir gegangen gewesen sein, ob ich vielleicht 'ne Kellnerin war.»

Ja, er wolle das bestellen.

Aber nun mußten sie in das Grüne sehen, das sich an ihnen

vorüberbewegte. Nicht, als ob dieser Wald jene gerühmte Schönheit besessen hätte, wie wir sie auf Bildern und Postkarten zu sehen Gelegenheit haben. Er wies keine ‹Partien› auf, keine Durchblicke. Aber er machte sie froh. Es war wohl mehr ihre allgemeine Freude, am Leben zu sein. Zwischen den Vergangenen und denen, die noch kommen würden – jetzt waren *sie* an der Reihe – hurra! –

An einer Biegung der Chaussee machte der Kutscher halt, murmelte und verschwand im Gebüsch. Die Claire begleitete seinen Weggang mit frommen Reden... Und dann fuhren sie weiter, und an einem Wirtshaus am See wurde Rast gemacht, und dort gab es zu essen.

Und dann fuhren sie wieder auf langen Umwegen nach Hause, nach Rheinsberg. Fußgänger begegneten ihnen, schwitzende Familienväter, die ihre Spazierstöcke mit den baumelnden Jacken am Ende Gewehr über trugen und schweigend der nächsten Bierquelle zustrebten, Verliebte, die mit verkrampften Händen selig daherstolperten, einmal hörten sie das Bruchstück eines Gesprächs zweier spitzmäuliger Damen.

«Ja», sagte die eine, «und denken Sie, sie ist eine Berlinerin, aber wissen Sie, im guten Sinne des Wortes...»

Der Wagen juckelte und knarrte, bald gehen die Pferde im Trab, bald trotten sie langsam mit gesenkten, nickenden Köpfen... Und immer konnte man, wenn es einem beliebte, den Kopf nach hinten legen, «auf den Verdeck», wie Claire das nannte, und dann sah man in die Wolken, immer in die Wolken, während der Körper im Rhythmus des Fahrens angenehm bewegt wurde...

Am Spätnachmittag kamen sie an; es war heiß, vielleicht würde es abends ein Gewitter geben, sagte der Wirt. Sie gingen in den Park. An einem kleinen Rondell schimmerten weiße Figuren aus dem Blätterwerk. Ein Satyr lehnte an einem Baumstumpf, mit gesenkter Flöte, ein Faun stach eine fliehende Nymphe... Das Schloß leuchtete weiß, violett funkelten die Fensterscheiben in hellen Rahmen, von staubigen Lichtern rosig betupft, alles spiegelte sich im glatten Wasser. Baumgruppen standen da, rötlich-gelb beschienen mit schwärzlichen Schatten, sie warfen lange, dunkle Flächen auf den Rasen. Träge schob sich der See in kleinen Wellchen an die schilfigen Ufer...

«Brühheiß. Kann man eigentlich so den Hitzschlag bekommen, Claire?»

Sie lag am Boden und kaute einen Halm, der schwankend ihrem Munde entwuchs.

«Das kommt ganz auf die Innentemperatur an, mein Junge. Du – bei deiner Hitze – ja, du kannst wohl einen kriegen! Zeig mal die Zunge – hm...»

«Du tätest auch besser daran, mehr in den Kollegs aufzupassen, anstatt Herzen mit meinen Initialen in die Bänke zu schneiden. Überhaupt das Frauenstudium...»

«Bitte, nehmen Sie Platz.» Sie war ganz Würde, und obgleich sie im Gras saß, konnte man glauben, was den Ausdruck ihres Gesichts anbetraf, einen vielbeschäftigten, an seinen Patienten interessierten Arzt vor sich zu sehen.

«Einen Weg zur Heilung werden wir schon finden... schon finden...»

Sie kraute sich einen imaginären Bart. «Wissen Sie, ob Ihr Herr Großpapa jemals an einem icterus katarrhalis litt? Oder an einer angina vincentis? Nun, wir werden das Übel schon beheben. Darf ich bitten, den Mund zu öffnen, weiter, weiter – so...» Und sie warf den Aufhorchenden mit einem starken Stoß nach hinten, ins Gras...

Die Luft lag unbeweglich, drückend, sie schritten über eine Brücke, darunter das Wasser grün und schleimig abfloß. Sie blickten hinunter. Blätter schwammen vorbei, kleine Zweige, Hölzchen...

«Wolfgang?»

«Claire?»

«Erlaubsus mir? Ja? Nur einmal! Bitte! Bitte!»

Sie drängte sich an ihn, umkoste ihn, ging ihm um den Bart, sozusagen...

«Was denn, was denn, Kind?» Er machte sich frei.

«Erlaubs mir doch! Nie nich erlaubsu mir wen! Ich möcht doch soo gern...»

«Aber was denn?»

Sie schwieg. Sie sahen wieder von der Brücke in das dahinschleichende Wasser.

«Wolfgang», sagte Claire träumerisch, «ich möcht *einmal* in das Wasser spucken...» Und in den höchsten Tönen: «Erlaubs du mir?» Und piepsend: «Ja?»

Er erlaubte es ihr.

Sie gingen durch die Straßen der Stadt. Schaufenster boten lokkend ihre Einlagen an, kunstreich geordnet. Oh, man war hier durchaus auf der Höhe, wie man mit Stolz sagen durfte, und hatte sich die Errungenschaften der neuen Zeit zunutze gemacht: ein moderner Wind wehte auch hier. Nach künstlerischen Prinzipien hatte z. B. Herr Krummhaar, der Kolonialwarenhändler an der Ecke des Marktes, sein Schaufenster arrangiert. Blickte man durch die blankpolierten Scheiben, so tat sich dem Beschauer eine schlaraffenhafte Landschaft auf: auf einem Hügel von Paniermehl stand ein Zuckerhut mit einem roten Gelatinekreuz, und sah man näher hin, war es eine Windmühle, Pflaumenwege führten an mit Preisen versehenen Korinthenbeeten vorbei, und auf einem Spiegelglas schwamm eine Brigg, die Herrn Krummhaar aus dem fernen Indien bauchige Flaschen Danziger Goldwassers und Salzbrezeln heranschleppte... Vor der Ladentür waren Fässer aufgebaut, die bis oben hin mit köstlichen Erbsen und allerhand getrocknetem, nun aber längst verstaubtem Obst gefüllt zu sein schienen; nur der Kundige konnte ahnen, daß es sich um eine geschickte Täuschung handle. Lange stand die Claire vor der bunten Pracht, dann zitierte sie mit Ausdruck:

> «Und einen Ochsen, ganz bepackt,
> Mit Fleischextrakt...»

Überall blieb sie stehen, alles wollte sie kaufen, und sie wirbelte herum, schwatzte, lachte, und war nacheinander: ein Frauchen, das ihren Mann zu Einkäufen bewegen will, ein unfolgsames Kind, das sich meckernd von der Hand der Bonne durch die Straßen schleppen läßt, ein kleiner Hund, – und zehn Schritte lang bot sie sogar die Kopie eines durchaus nicht einwandfreien Geschöpfes...

Vor der Tür eines kleinen Lädchens, dessen Schaufenster dem Käufer Posamentier- und Weißwaren versprachen, standen die Fräulein Luft, zwei gutmütige ältliche Wesen, die ein wenig muffig rochen...

Sie schöpften die Abendluft, einen Käufer gab es jetzt nicht. Die beiden drängten sie in ihren Laden.

«Ich möchte, bitte, Wäscheknöpfe.» Die Claire war geschäftig, ganz bei der Sache.

«Tje...»

«Aber bitte, geben Sie mir doch, bitte, weiße Wäscheknöpfe... zum Annähen...»

«Tje... Gewiß.»

Aber die Fräulein Luft rührten sich nicht, sondern sahen sich und die beiden Besucher, die ihren Laden nahezu ausfüllten, ratlos, verlegen an. Eine von ihnen holte tief Atem...

«Mochte der schunge Härr nicht so lang rausgehen...»

‹Welch treue Seele›, dachte er. Und ging heraus.

«Ein Kinematograph? Hier in Rheinsberg? Wölfchen, nach dem Souper? Ja?»

Wirklich, es gab einen, und sie gingen hin.

Auf dem Wege schon murrte es in den Wolken, die langsam aufzogen. Wind schüttelte Laub von den rauschenden Bäumen, Staub wirbelte auf...

Aber noch trocken kamen sie in dem Saal des Wirtshauses an. Richtig, ein kleines Orchester war da, es verdunkelte sich der Saal...

NATUR! MALERISCHE FLUSS-
FAHRT DURCH DIE BRETAGNE.
KOLORIERT.

Der Apparat schnatterte und warf einen rauchigen Lichtkegel durch den Saal. Eine bunte Landschaft erschien, bunt, farbenprächtig, heiter. Die Kolorierung war der Natur getreulich nachgebildet: Die Bäume waren spinatgrün, der Himmel, wie in einem ewigen Sonnenuntergang, in Rosa und Blau schwimmend... Während die Flußlandschaft hell vorbeizog, schwankte dauernd ein schwarzer Schatten, in Form einer Stange, durch das

Bild, was vermuten ließ, daß die Aufnahme von einem Dampfboot aus gemacht worden war. Dies bestätigte sich; denn nach einer kleinen Weile drehte sich der hellbraun gebohlte Teil eines Schiffes in das Bild, das nun das Nahe und das Ferne zugleich erkennen ließ: eine rosagekleidete Dame, mit weißem Spitzenschirm, anscheinend zu diesem Zwecke hinbeordert, erzeugte vermittels freundlichen Lächelns, Winkens und eifrigen Auf- und Abspazierens geschickt den Eindruck sommerlichen Glükkes; hinten glitten die kolorierten Bestandteile der Bretagne vorbei, Trauerweiden, die Zweige in das Wasser hängen ließen, kleine ockergelbe Häuschen, die anscheinend auf ihre Umgebung abgefärbt hatten, ein vorüberziehender Fischdampfer...

Die Claire saß erschüttert.

«Wolfgang, es ist zu traurig! Glaubsu, daß der sterbende Krieger seine Heimat erreicht?»

Er glaubte es nicht. Um so weniger, als jetzt der eben eingetretene Klavierspieler geräuschvoll drei kräftige Akkorde erschallen ließ, sein Bierglas herunterwarf, aber hierdurch unbeirrt sich anschickte, den nunmehr folgenden Film: *‹Moritz lernt kochen›* in angemessener Weise zu begleiten. Die Musik tobte: der Nachbar steckt den Kopf zur Tür herein, Moritz steht am Kochherd, packt den andern, wirft ihn in den Topf, daß die Beine heraussehen. Schwanken, Fallen, Töpfe kippen, Sintflut, man schwimmt gemeinschaftlich die Treppe herunter, schüttelt sich unten die Hände, nimmt das triefende Mobiliar unter den Arm und verschwindet...

Die Claire konnte sich nicht beruhigen: sie fragte, wollte alles wissen. Ob er denn nun kochen könne, ob der Nachbar gut durchgekocht sei, sie könne übrigens kochen, perfekt, möchte sie nur sagen...

Und schwieg erst, als helle Buchstaben auf dunklem Grund ankündigten:

‹Das rettende Lichtsignal›.
In der Titelrolle Herr Violo.
Von der Greizer Hofoper.

Auf Grund einer freundlichen, stillen Übereinkunft zwischen Filmfabrik und Publikum bedeutet die blaue Farbe Nacht, während die rote die Katastrophe einer Feuersbrunst anzeigt, so daß es allen klar wurde, wie man in solch gefährlichen Stunden eines rettenden Lichtsignales des Bräutigams bedurfte. Mochte die Handlung durchsichtig sein, hier war das Leben, aber konzentriert. Wenn das Meer, wenn die Brandung an Felsen schlug, wenn der Vorplatz eines Hauses einen Augenblick frei blieb und man an den Zweigen sehen konnte, wie der Wind geweht hatte, *der* Augenblick war dahin, unwiederbringlich dahin... Wie beängstigend schön war es, wenn Eisenbahnzüge, lautlos, wie große Schatten erschienen, immer näher, größer – ein Kopf sah aus dem Fenster...

Aber als die leuchtenden Lichtgestalten zu weinen begannen und ein Harmonium in Aktion gesetzt wurde, schnupfte die Claire tief auf und äußerte schluchzend den Wunsch, nach Hause zu gehen...

Sie kämpften sich durch Wind und Regen ins Hotel.

Am Morgen gingen sie in die Felder. Das Gewitter von gestern hatte abgekühlt, die ersten herbstlichen Tage kamen. Der Wind wehte stark. Als sie gegen ihn angingen, sang er wie klagend... An den Wegen schäumten die Laubmassen. Milchigweißes Licht beglänzte gleichmäßig die Felder. Die Sonne steckte hinter den stürmenden Wolken; manchmal kam sie hervor, dann war sie rot und fror in der rauhen, kräftigen Herbstluft. Ein leerer Pfad lag vor ihnen, reingefegt vom Wind, – und es war Seligkeit, darüber hinwegzuschreiten; junge Linden reihten sich endlos, und es war Glück, immer wieder den ächzenden Stamm zur Seite zu haben. Tief ging der Atem, und die Schultern hoben sich. Sie gingen im Gleichschritt.

Sehnsucht – Sehnsucht nach der Erfüllung! Hier war alles (fühlte er), Herbst, der klärende, klare Herbst, Claire, alles – und doch zog es weiter, der Fuß strebte vorwärts, irgendwo lag ein Ziel, nie zu erreichen!

Viel, fast alles auf der Welt war zu befriedigen, beinahe jede Sehnsucht war zu erfüllen – nur diese nicht. Was war, von oben betrachtet, ein Liebender? – Ein Narr. Wenn sich ihm das geliebte Herz eröffnete, schwieg er, satt und zufrieden. Ganze Literaturen wären nicht, riegelten die Mädchen ihre Türen auf... Ein Amoroso war zu befriedigen, gebt ihm das Weib, das er begehrt, und der tönende Mund schweigt. Was gibt es, *uns* zum Schweigen zu bringen? Wir haben nichts mehr zu verschleiern, wir wissen um alle Heimlichkeiten der Körper... Auch um alle der Seele? – Es gibt Worte, die nie gesagt werden dürfen, sonst sterben sie... Aber wir wollen nicht in diese Tiefen der Schatzkammern, wir haben einander ganz und doch sehnen wir uns. Was ist das, das uns forttreibt, weiter, höher, vorwärts? – Der Frühling ist es nicht; denn es ist da zu allen Jahreszeiten, die Jugendzeit ist es nicht; denn wir spüren es in allen Altern, die Claire ist es nicht, wir fühlen es ohnehin.

Jetzt kamen sie durch einen windstillen Hain junger Birken.

Glücklich sein, aber nie zufrieden. Das Feuer nicht auslöschen lassen, nie, nie! In einem runden Loch kreiste träge schwarzes, fauliges Wasser. Alles andere ist ein Vorspiel: die Werbung, die Gewährung, das Genießen. Dann fängt es an und höret nimmer auf. Was kann vorher sein? Beschäftigt mit der simplen Frage: Ja? – Nein? – sehen sie nicht das Wesentliche, nicht das Eigentliche. Entkleide die deinige von deinen Begierden, sie zu besitzen, setze sie in dein Zimmer, wunschlos, allein, denk, du habest alles, was du wolltest... Bliebe sie? Kann sie mehr als locken, versprechen? – Kann sie *geben*? Nicht jede hält die Belastungsprobe aus. Man behütet nicht umsonst ängstlich das Letzte, wenn man nicht weiß, daß es das Kostbarste ist, was man zu geben hat. Eroberungen, bei denen der Reiz nur im Erobern besteht. Wir aber wollen besitzen.

Und es gibt keine tiefere Sehnsucht als diese: die Sehnsucht nach der Erfüllung. Sie kann nicht befriedigt werden...

«Wölfchen! Hallo!» Sie war weit voraufgelaufen und pflückte im Gebüsch weiße Eisbeeren, legte sie im Kreis auf den Boden und knackte sie mit dem Fuß entzwei.

«Warum tust du es?»

«Hast du keinen Sinn für Schönheit? *Fühlst* du nicht, daß das befriedigt, erlöst, wie von einem Druck befreit, wenn die Beere – endlich – aufknackt? – Banause!»

Die Gräser glänzten im Licht, ein dicker Käfer zog über die Chaussee, flog auf, ein Wind strich über den Weg, führte ihn mit sich fort, wollte er dorthin? – Nun, er würde auch da glücklich sein ...

Eine Schafherde trappelte durch die gestoppelten Felder; sie wollten ausweichen, aber es war zu spät, der Schäferhund hatte eine lange Reihe zurechtgebellt, sie waren mitten unter ihnen, die Schafe umwogten sie, die Claire schwankte lachend in dem Meer her und hin.

«Wölfchen, wenn mir die Tieren nu fressens?»

«Ihnen nicht, Fräulein, es dürfte sich nicht lohnen.»

Endlich krochen sie heraus, staubbedeckt, lachend.

«Daß du dir da rausgefunden hast, Wölfchen!»

Sie waren auf freiem Feld, glänzend wehten grüne Gräser im Wind, die Luft war in starker Bewegung, aber das Land lag ruhig, mochte es wehen und darüber hinfahren, die Erde blieb fest.

Sie standen auf einem kleinen Hügel, das Land wellte sich weit fort, spielend riß die starke Luft an den Haaren. Dies alles umarmen können, nicht, weil es gut oder schön ist, sondern weil es da ist, weil sich die Wolkenbänke weiß und wattig lagern, weil wir leben! Kraft! Kraft der Jugend! ...

«Claire?»

«Na?»

Und wurde gepackt und wie ein Wickelkind davongetragen, den Abhang herunter bis tief in die blumige Mulde.

Und wieder kamen sie nach Rheinsberg, und weil es der letzte Tag war, verschwand Wolf und kam kurz vor dem Mittagessen mit einem großen weißen Paket wieder. Oben angelangt, legte er es auf den Tisch. Die Claire zupfte vor dem Spiegel an ihrem Haar. Wandte sich um.

«Wolfgang?»

«Claire?»

«Was isn diss?»

«Nüchs, wie du dich auszudrücken beliebst.»

«Na, haber ...»

«Um allen so gearteten Debatten aus dem Wege zu gehen,

mein liebes Weib, erkläre ich hiermit, daß in dem Paket mit erhobener Stimme zwar etwas darin ist, aber du dasselbe mit Bedeutung nicht vor dem Abend öffnen darfst. Um zehn geht der Zug, um dreiviertel zehn darfst du, Punkt.»

«Hm.»

Pause.

«Wolfgang?»

«Claire?»

«Sagssu mir, was da drün is? Seh mal...»

«Schweig. Ich habe gesprochen.»

«Aba, Wölfchen, ich fand, du konnst mir doch den Anfangsbuchstaben sagen und den hintern auch, ich meine den Endbuchstaben, ja?»

«Ich zertrümmere dich. Nein.»

«Nur den Anfang, tje? – Bitte, bitte! ...»

«Schluß. Wir essen!»

Es gab ‹schöne Sachens› – «Suppens gibs», erörterte Claire, die alles wußte, «un Hühnegens mit Gemüsen und Hops (Hops? – Obst, Wölfchen, Obst) un denn gübs... Willstu das gern wissen, Wölfchen?»

«Ja.»

«Hm, ich sag dirs auch. Aber du mußt mir sagen, was in dem Paket...»

«Ich wills nicht wissen.»

«Buh!»

Sie ‹muckschte› wie ein kleines Kind und ließ eine habsburgische Unterlippe hängen, bis das Essen kam.

«Wölfchen, eß man Suppens mitm Messer?»

«Wa –?»

«Na, ich hab mal einen gesehen, der hat mitm Messer geessen.»

«Suppe?»

«Neieinn...»

Aber da kam eine alte Dame an ihrem Tisch vorübergeschlurft, schielte krumm und murmelte etwas von «unerhört» und «Person» und so.

«Wölfchen, die meint mir. Konnste ihr nicht gefordert gehabt habs? – Söh mal, ich bin doch 'ne Feine, nich wahr? oder glaubsu, ich bin eine Prostitierte? Nei–n. Ich ja nich. Ich nich. Hä?»

«Laß das Alter gewähren, mein Kind. Vielleicht hat sie nicht so hübsche Jugenderinnerungen... Wie schrieb der große Friedrich an den Rand seiner Akten? – ‹Mein lieber Geheimrat›, schrieb er, ‹wir sind alt und können nicht mehr, wir wollen uns über die freuen, die noch können.›»

Und dann aßen sie, und als es zu Ende war:

«Wölfchen, die Sonne scheint gerade so schön, wir wollen fotografieren!»

Sie holte den Apparat, den sie umständlich herrichtete. Eine Zeitaufnahme war beabsichtigt, unter dem Blätterwerk der alten Bäume, die gesprenkeltes Licht zum Boden durchließen.

«Stell dir man hin, Wölfchen. Nun paß auf: wir machens einen langen Aufnahmen. Du mußt nu ümmessu ruhig stehen, weißtu, ganz stille, ich geh solange fort, auf daß es dir nicht lächere...»

Er stand regungslos, nur gegen die Sonne anblinzelnd, fühlte sein Herz klopfen, der Atem ging taktmäßig ein und aus. Wie lange es dauerte? Die Claire wandelte unter den Linden, weiter hinten. Es sah aus, als hätte sie vergessen...

Ohne die Lippen weit zu öffnen:

«Claire!»

Immer noch erging sie sich unter den schattigen Bäumen, aber sie antwortete:

«Ja?»

«Noch lange?»

«Nein.»

Wieder Schweigen. Wieder summten die Insekten. Teller klapperten im Haus.

«... lange?»

«Wolfgang?»

«Hm?»

Und von ganz fern: «Du kannst kommen! – Ich habe gar nicht eingestellt!» Und helles Lachen.

«So ein –»

«Aber schön still hast du gehalts!»

Hoho! Wie aus einem Schallbecken platzte Lachen aus ihrem Mund, heftig, lärmend.

Aber er fing sie.

Nach dem Essen mußte die Claire schlafen gelegt werden. Sie waren im Sonnenglast hingestreckt, auf einer Wiese, über der die Luft in der Mittagswärme zittrig schwebte. Schweigen...

«Wölfchen?»

«Claire?»

«Sagssus mirs?»

«Was denn?»

«Was in den Paket...?»

«Schlaf!»

Sie schnarchte, daß die Grillen vor Schreck verstummten.

«Pst!»

«Du sagst ja, ich soll. Nie nich is es richtig. Buh!»

Wieder Schweigen.

Wie im Selbstgespräch: «Ich fand, wenn dus mir sagtest, gefiels mir hier besser. Wie? Ich bin neugierig, alle Frauen sind...? Ich will dir mal was sagen, ich wills gar nicht wissen, überhaupt ist es mir egal, es läßt mich kalt.»

«Das kannst du brauchen.»

«Wie?»

«Ich meinte nur.»

«Wölfchen?»

«Claire?»

«Is'n zu essens drin oder...?»

Aber er antwortete nun nicht mehr. Sie schliefen. Und als sie aufwachten – sie hatte ihn wachgekitzelt –, stand die Claire auf, strich sich den Rock glatt, und ihre ersten Worte waren: «Neugierig bün ich ga–nich. Aber wissen möcht ich *bloß*, was da in is», und dachte heftig nach, ohne es herauszubekommen. (Sie hat es nie erfahren, das Paket wurde im Hotel vergessen.)

Nachmittags lagen sie im Boot. Der Himmel war klar, noch einmal gab der Sommer seine Wärme.

Dies ist der letzte der drei Tage! Aber ich bin so froh wie am ersten. Jung sein, voller Kraft sein, eine Reihe leuchtender Tage – das kommt nie wieder! Heiter Glück verbreiten! – Wir wollen uns Erinnerungen machen, die Funken sprühen! Wir haben alles voraus – heute! Mögen die in den Gräbern die Fäuste schütteln, mögen die Ungeborenen lächeln – wir *sind!* Alle sollen freudig sein! Kämpfen – aber mit Freuden! – Dreinhauen – aber mit Lachen! Mädchen, was zieht ihr mit Ketten schwer beladen einher? – Schüttelt sie ab. Sie sind leicht! – Sie sind hohl! – Tanzt, tanzt! –

Vom Ufer her rief sie jemand an, ein Mädchen mit einer Schneckenfrisur und ernsten, schwarzen Augen. Sie trug sich irgendwie in Blau und Grau. Sie ruderten heran. Wo es hier nach dem Forsthaus ginge? Ob es noch weit sei? – Sie beabsichtigten, dorthin zu fahren, wenn sie wolle...? Sie dankte, nahm an.

Es ergab sich, daß sie gleichfalls die Heilwissenschaft studiere und sich auch sonst geistig fleißig rege. Sie lud arme Kinder zu sich zu Tisch, um an abgemessenen Gewichtsportionen die Wirkungen gewisser Hydrate festzustellen, auch in andern Beziehungen nahm sie sich dieser Opfer der kapitalistischen Wirtschaftsordnung an und förderte sie durch gute Ratschläge. Das brachte sie ruhig und selbstverständlich vor, bescheiden, aber fest. Das Gespräch glitt weiter. Nein – heiraten wollte sie vorläufig nicht; sie habe noch keinen gefunden, der Mann gewesen wäre, ohne ein Sexualtier zu sein. Sie hatte einen schlechten Teint, und es sah aus, als bade sie selten. – Ob sie denn nie verliebt gewesen sei? – Oh, sie besäße, wie sie, ohne unbescheiden zu sein, mitteilen könne, Temperaments genug. So habe sie neulich auf einem Vereinsfest sogar etwas getrunken, was dem Geschmacke nach schwedischer Punsch gewesen sein mochte. Aber das seien doch Nebendinge. Für sie – hier schaukelte das Boot ein wenig – für sie gäbe es nur die Pflicht. Die Pflicht, ihrem Berufe als Wissenschaftlerin und soziales Glied voll und ganz Genüge zu tun.

Dies, was sie anginge. Und die Herrschaften? Mit wem habe sie das Vergnügen? Sie sei stud. med. Aachner, Lissy Aachner. Und die Freundlichen, die sie hier mitnähmen? – Claire ergriff das Wort (Wolfgang graute): – Nun, sie hätten hier ein kleines Besitztum in der Nähe, nicht sehr bedeutend, 300 Morgen etwa, ja, und das sei ihr Bruder, sie seien noch nie in einer großen Stadt gewesen, die Eltern erlaubten es nicht, nein – wie es denn so in Berlin aussähe? – Sie hätten so bunte Vorstellungen davon, aber, nicht wahr? – aus den Büchern könne man das nicht so...

Die Studentin Aachner bestätigte dies. Nein, aus den Büchern könne man dies nicht so. – Man müsse wirklich einmal... Sie könne das den Herrschaften nur empfehlen! – Diese verschiedenartigen Kreise, diese Anregungen, man müsse ordentlich auf dem Posten sein, um all den Anforderungen Genüge zu tun! Nun – sie, Lissy Aachner, sei auf dem Posten, das könne sie wohl sagen. Und es erwies sich, daß dieses begabte Mädchen über alles, so die Liebe und das Leben, ihre klaren festen Begriffe hatte, an denen nicht zu rütteln war. Sie sei Monistin. Was das sei? Gesellschaftliche Artigkeit trug über ein leichtes Lächeln den Sieg davon. Sie sei erfüllt von dem Glauben, daß alles sich auf natürlicher Grundlage nach Maßgabe der betreffenden Umstände aufbaue. Auf die Umstände lege sie besonderes Gewicht, auf die käme es an... Aus ihnen ließe sich *alles* herleiten. Sie, Lissy Aachner, wäre nimmermehr das geworden, was sie sei, wenn nicht die Umstände und das, was man wohl Milieu nenne, sie zu einem Produkt der neuen Zeit gemacht hätten. Und diese Umstände zu erkennen, das sei es, fuhr stud. med. Aachner fort, worauf es ankäme... *Erkenntnis*, das sei das Wort! – Wohin sollte es führen, wenn wir auf der Stufe alter Barbarenvölker ständen und den Regen z. B. noch als etwas Göttliches empfänden? Der Regen sei einfach ein Niederschlag atmosphärischen Wassers in Form von Tropfen oder Wasserstrahlen. Dagegen war nichts zu sagen. Der Regen war in der Tat ein Niederschlag atmosphärischen Wassers in Form von Tropfen oder Wasserstrahlen. Und habe es nicht mit den geistigen Dingen eine ebensolche Bewandtnis? – Sei nicht auch hier Erkenntnis das Element alles Lebens? – Wie wolle man sich denn vor Liebesschmerz hüten, ohne die Elemente dieses Affekts, die Liebe und den Schmerz, analysieren zu können? – Sie gäbe ja Ausnahmen zu, bemerkte die Sprecherin, aber wenn wir auch heute noch nicht so weit wären, alles zu erkennen, so läge dies eben an einer Mangelhaftigkeit unserer Apparate bzw. Organe. Es würde schon noch werden. Seien nicht auch die Religion, die Kunst Dinge, die restlos in ihre Bestandteile aufzulösen nur einem Orthodoxen als kühn erscheinen könne? – Ja, das gesamte Leben als solches... Aber hier lief der Kahn auf den Sand, daß es knirschte. Man war angelangt. Die stud. med. Aachner bedankte sich und schritt durch das Grün auf das Forsthaus zu, männlichen Schrittes, geradeaus, und irgendwie in Blau und Grau gekleidet...

Die beiden trieben ab, das Boot schwankte, bewegt durch das Schaukeln der Lachenden. Und wieder trug sie die Strömung dahin, der fächelnde Wind kräuselte das Wasser, brachte frischere Lüfte... Einmal legte die Claire die Hand auf den Bootsrand: diese ein wenig knochige und männliche Hand, auf deren Rükken blaßblaue Adern sich strafften; sah man aber die holzgeschnitzten, langen Finger, so ahnte man, es war eine erfahrene Hand. Diese Fingerspitzen wußten um die Wirkung ihrer Zärtlichkeiten, kräftig und sicher spielten die Gelenke... Die Hand hing im Wasser und zog einen quirlenden Streif. Dunkelgrün und klar lagen die Ufer weit zurück.

Leuchtender, leuchtender Tag! – Da-sein, voraussetzungsloses Da-sein und immerfort wissen, daß eine ist, die gleich fühlt, gleich denkt... (Denkt, fühlt sie wirklich? Aber ist das nicht einerlei, wenn wir nur glauben?) Nun, wir *glauben* eben einmal, daß wir uns nur deshalb nicht begegnen, weil wir nebeneinander demselben Ziele zulaufen, gleich strebend, parallel – ... Dies zu wissen – das ist Glück. Ein Seitenblick genügt: all deine Empfindungen sind hier noch einmal, aber umkleidet mit dem Reiz des Fremden. Wozu noch sprechen? – Wir wissen ohnehin. Wozu versichern, betonen? – Wir wissen, wir wissen. Und das Erlebnis und ich und sie – das gibt einen Klang, einen guten Dreiklang.

Aber nun waren nur noch zwei Stunden bis zur Abfahrt.

«Wolfgang?»

«Claire?»

«Gehen wir noch ein bißchen spazieren? Komm, in die böhmischen Wälder!»

Und sie gingen durch den dämmerigen Park, in dem die Baumgruppen erdunkelten, sich schwärzlich auseinanderschoben... Der Himmel war am Nachmittag schimmernd klar gewesen, – noch spannte er sich wie ein ungeheurer Bogen von Osten nach Westen, aber nun hatte er eine dunkle Färbung angenommen, er war fast schwarz, und weiße Wolkenflecken zogen rasch unter ihm dahin.

Gewiß blies hier der Wind immer so in die Baumwipfel, daß sie aufrauschten, strich durch die Stämme, raschelte schleifend im Laub... *Sie* empfanden: Abschied. *Sie* mußten fort. Leises Trauern... noch einmal zogen sie die reine Luft ein. Abschied. Eine neue Etappe. Aber diese haben wir gelebt.

Der Weg führte auf einen Hügel, durch Wiesen und an schwärzlichen Sträuchern vorbei. Sie sprachen nichts. In der Höhe glänzten helle Fenster einer Villa. Töne? ... Da oben gab es Musik. Sie schritten aufwärts. Blieben im Dunkel stehen. Das gelbe Licht traf sie nicht: es bestrahlte einige Zweige der Linden, die am Haus gepflanzt waren. War es ein Ball? –

Ein Walzer kam. – Die Geigen – es mußte eine starkbesetzte Kapelle sein – zogen süß dahin, sie sangen das Thema, ein einfaches, liebliches, in langen Bogenstrichen. Verstummten. Aber nun nahmen es alle Instrumente auf, forte, und es war, wie wenn zarte Heimlichkeiten ans Licht gezogen würden. Mit Wehmut dachte man an die Pianopassagen. Aber auch so machte es einen schweben, und der Rhythmus, dieser wiegende, schleifende Rhythmus zuckte und warb. Sie standen unruhig, hatten sich bei den Händen gefaßt, reckten sich... Und da brach die Lustigkeit prasselnd durch: in tausend kleinen Achteln, die klirrten, wie wenn glitzernde Glasstückchen auf Metall fielen, brach sie durch, die Geigen jubelten und kicherten, die Bässe rummelten fett und amüsiert in der Tiefe, und auch der Zinkenist machte kein Hehl daraus, daß ihn das Ganze aufs höchste erfreute. Der Teil wiederholte sich, wieder kletterten die Geigen in die schwindelnde Höhe, guckten von ihrem hohen Sopran in die Welt, und schließlich lösten sich die Töne auf zierliche, spielerische Weise in nichts auf. Dröhnten nicht drei Paukenschläge? – Ein Dominantakkord erklang: ein Lauf, von der Flöte gepfiffen, machte neugierig, gespannt... Und wieder ein Lauf, die Geigen folgten, die Melodie blieb auf einem neuen Dominantakkord stehen...

Pause ... Und das alte, süße Thema kehrte in den Geigen wieder, hier war Erinnerung, heimliche Freuden und alles verliebte Flüstern der Welt! – Und da packte es die zwei, und sie drehten sich langsam, schwebend, und sie tanzten auf dem struppigen Rasen, schweigend, ruhig anfangs, dann schneller und schneller ... Noch einmal bliesen Fanfaren königlich und stolz, kaum wiederzuerkennen, das Thema, dann wirbelten die beiden tanzend den Abhang herunter.

Und kehrten zurück und packten ein, fuhren in dem rumpligen Hotelwagen zur Bahn, bestiegen in Löwenberg den D-Zug und fuhren durch die Nacht, brausend, aufgewühlt, nach Berlin.

In die große Stadt, in der es wieder Mühen für sie gab, graue Tage und sehnsüchtige Telefongespräche, verschwiegene Nachmittage, Arbeit und das ganze Glück ihrer großen Liebe.

Das Stück hat Weltanschauung. Neben mir Ottilchen
hat weit die grauen Augen aufgemacht:
Der, nach dem Spiel, erhofft ein Kartenspielchen,
der eine Nacht…

Der Diener meldet die Kommerzienräte,
die Gnädige empfängt, ein Sektglas klirrt.
Ich streichle ihre Hand, die sonst die Hüte nähte…
Ob das was wird?

Da oben gibt es Liebe und Entsetzen,
doch so gemäßigt, wie sichs eben schickt.
«Ottilie», flüstre ich, «vermagst du mich zu schätzen?!»
Sieh da: sie nickt.

Nun läßt mich alles kalt: die ganze Tragik
ist jetzt für mich verhältnismäßig gleich.
Und nimmt Madameken ihr Gift, dann sag ick:
«Ich bin so reich…»

DIE ARME FRAU

Mein Mann? mein dicker Mann, der Dichter?
Du lieber Gott, da seid mir still!
Ein Don Juan? Ein braver, schlichter
Bourgeois – wie Gott ihn haben will.

Da steht in seinen schmalen Büchern,
wieviele Frauen er geküßt;
von seidenen Haaren, seidenen Tüchern,
Begehren, Kitzel, Brunst, Gelüst...

Liebwerte Schwestern, laßt die Briefe,
den anonymen Veilchenstrauß!
Es könnt ihn stören, wenn er schliefe.
Denn meist ruht sich der Dicke aus.

Und faul und fett und so gefräßig
ist er und immer indigniert.
Und dabei gluckert er unmäßig
vom Rotwein, den er temperiert.

Ich sah euch wilder und erpichter
von Tag zu Tag – ach! laßt das sein!
Mein Mann? mein dicker Mann, der Dichter?
In Büchern: ja.
Im Leben: nein.

MEETING

Das ist nun so.
Je freier und je nackter,
je mehr enthüllt das Herz sich. Offen liegt
beim Boxen und beim Lieben der Charakter
des Partners, der dich hüllenlos besiegt.

Die Trainer schreien: «Zeit!» Ihr streckt die Hände.
Ihr seid ein Knäul. Ein Wille. Ein Duett.
Die strengen Regeln treibens bis zum Ende
beim Boxen, liebe Frau, und auch im Bett.

Wie schön zu kämpfen und sich zu umfassen.
Da noch ein Druck und da ein Untergriff.
Und dann betäubt sich leise treiben lassen...
Der Richter gibt den ersten Pausenpfiff.

Der nächste Gang. So gib, du, gib dein Letztes.
Ich fühle lebensnahe, glatte Haut...
Aus Tiefen springt dein Herzblut, und dann netzt es
mich weich – wie bist du mir vertraut!

Wo bist du, Welt?
Die Erde soll versinken.
Es hüllt der Kampf uns, tief bewußtlos, ein.
Und meine trocknen Lippen wollen trinken.
Ich hasse dich. Doch du mußt bei mir sein.

Die Gruppe löst sich.
Und die Trainer wettern.
Der Richter winkt. Das Publikum kann gehn.
Und morgen stehts in allen großen Blättern:
«Jolanthe/Tiger –
Ausgang: 10 zu 10.»

DIE SCHWEIGENDE

Erst haben wir davon gesprochen
– du hörtest freundlich zu –,
ob unsre alten Männerknochen
sich niemals in den Hörselberg verkrochen...
Und du?

Er sagte: «Ach, ich bin ein böses Luder!
Die Frauen fehlen mir.
Ich fresse jedes Jahr ein halbes Fuder,
wild tobt mein Herz, stäubt nur ihr weißer Puder...»
Was klopft denn dir?

Er sagte: «Rausch! Nur Rausch vor allen Dingen!
Vor dem Verstand verblich
schon manche Göttin mit den Strahlenschwingen –
Mich packt es jäh, wenn meine Sinne singen...»
Und dich?

Ich sagte: «Rausch ist eine schöne Sache
deckt er uns zu.
Doch geben Sie mir auch die eine wache
Sekunde nur, in der ich rauschlos lache...»
Und du?

Du sprichst kein Wort. Du siehst nur so auf jeden
von uns – und während alles weit verklingt,
und während wir voll Männerweisheit reden:
blitzt auf in einem dunkeln Garten Eden
dein sieghafter Instinkt.

NICHTS ANZUZIEHEN –!

Ich steh schon eine halbe Stunde lang
vor diesem gefüllten Kleiderschrank.
Was ziehe ich heute nachmittag an –?

Jedes Kleid erinnert mich...
also jedes erinnert mich an einen Mann.

In diesem Sportkostüm ritt ich den Pony.
In diesem braunen küßte mich Jonny.
Das hab ich an dem Abend getragen,
da kriegte Erich den Doktor am Kragen,
wegen frech...
Hier goß mir seinerzeit
der Assessor die Soße übers Kleid
und bewies mir hinterher klar und kalt,
nach BGB sei das höhre Gewalt.
Tolpatsch.

In dem... also das will ich vergessen...
da hab ich mit Joe im Auto gesessen –
und so. Und in dem hat mir Fritz einen Antrag gemacht,
und ich habe ihn – leider – ausgelacht.
Dieses hier will ich überhaupt nicht mehr sehn:
in dem mußt ich zu dieser dummen Premiere gehn.
Und das hier...? Hängt das noch immer im Schranke...?
Sekt macht keine Flecke –? Na, ich danke –!
Und den Mantel – ich will das nicht mehr wissen –
haben sie mir beim Sechstagerennen zerrissen!

Ich steh schon eine halbe Stunde lang
vor diesem gefüllten Kleiderschrank:
das nackteste Mädchen in ganz Berlin.

Wie man sieht:
Ich habe nichts anzuziehn –!

Wenn eine Frau seit vier Stunden weiß, daß sie und der Mann um sieben Uhr ins Theater gehen, wenn dann der Mann um halb sieben abgehetzt und eilig aus dem Geschäft kommt, um sie abzuholen – was tut eine solche Frau dann?

Sie entfaltet eine *unermeßliche Tätigkeit*.

Vorerst beginnt sie sich ‹zurechtzumachen›. Unter diesen Begriff fallen eine Reihe unerklärlicher Vorgänge und Betätigungen, die nie ganz zu enträtseln sind, als da wären: Zupfen der Haare vor dem großen Spiegel, dasselbe vor einem kleinen; Aufnehmen eines gleichgültigen Gegenstandes und Hinlegen desselben; Suchen der Schlüssel; Durchwühlen einer Kommode; Probe und Verwerfen eines Hutes vor einem großen Spiegel, eifriges Geläuf durch alle Zimmer. Und hier setzt nun das Rätsel ein, das große unergründliche Rätsel:

Warum tun die Frauen in der letzten Minute Dinge, die sie schon vor einer Stunde hätten tun können, und die viel mehr Zeit in Anspruch nehmen, als beim besten Willen vorhanden ist? Warum?

6.45 Uhr: «Ich muß meine Handschuhe erst nochmal mit Benzin reinigen! Anna! Anna! Wo ist das Benzin?» Benzinflasche, Handschuhe und ein großer, häßlicher Lappen von tückischem Aussehen. Richtig: er verschmiert bösartig das Benzin und tut durchaus nicht, was man von ihm verlangt. Das geht so zehn Minuten. 6.55 Minuten: «Ich werde mir doch lieber die neuen Handschuhe anziehen!» Im Hintergrund ringt ein Unglücklicher die Hände – das hätte man doch schon vor zehn Minuten... Strafender Blick: «Du verstehst auch gar nichts –!» Nein, er versteht gar nichts...

7.08 Uhr: «Die Wäsche ist noch nicht gezählt!» – Aber, liebes Kind... Hier ist nicht: lieb, und hier ist nicht: Kind – die Wäsche ist noch nicht gezählt! Muß das jetzt sein? Jetzt oder nie. «Anna! – 5 Combinaisons, 44 Handtücher – wieso 44? ach so – 23 Taschentücher, 5 Hemdchen fürs Kind – na, ich werde das morgen machen – legen Sie sie da inzwischen hin! Anna, haben wir abgerechnet? Also morgen nehmen wir die Rinderbrust, die noch da ist – –» Der Hintergrund: Allmächtiger, womit habe ich das verdient! Wie hast du mich gestraft, du mein Herr und Gott!! Mein liebes Kind, es ist fünf Minuten über Viertel acht... «Dann hättest du eben früher aus dem Geschäft kommen müssen –!» Da kann man halt nix machen.

Sehr geehrter Herr Panter!

Ich habe Ihren kleinen Aufsatz in der Zeitung: Was tun Frauen, bevor sie weggehen? gelesen. Ich muß Ihnen sagen, daß Sie aber durchaus nicht alle Frauen zu kennen scheinen, die es gibt. Es gibt doch Gott sei Dank heute schon eine Menge Frauen und Mädchen, die mindestens ebenso pünktlich und zuverlässig sind wie der Mann. Das beweisen ja auch die vielen weiblichen Telefonangestellten.

Ich muß den Brief leider schließen. Eben kommt mein Mann und ruft, daß es Zeit ist, zu unserer Mittwochgesellschaft zu gehen. Wenn das nicht dazwischen gekommen wäre, Herr Panter, dann würde ich Ihnen noch ganz anders und viel ausführlicher geschrieben haben, aber leider muß ich jetzt schließen, und meinen Mann begleiten. Ich möchte Ihnen bloß noch sagen, daß es die allermeisten Frauen, was Ordnung und Pünktlichkeit betrifft, noch hundertmal mit jedem Mann aufnehmen können. Ich wenigstens bin immer auf die Minute da und fange gar nicht erst kurz vor meinem Weggehen an, tausend Sachen anzufangen und wieder hinzulegen. Überhaupt: das ist eine männliche Überhebung, sich immer über die Frauen lustig zu machen. Da fangt ihr Männer mal hübsch bei euch an, da werdet ihr doch genug Laster und Fehler finden! Und, Herr Panter, eine Frau, die eine Wirtschaft führt, hat eben viele Lasten und Sorgen, die ihr keiner abnimmt, nicht einmal der eigene Mann. Sie muß beinahe alles allein tun, und daher mag es denn manchmal vorkommen, daß sie sich zu einem Vergnügen verspätet. Und was schadet es denn schon, wenn der Mann einmal ein bißchen auf sie warten muß? So galant kann ein Mann schon zu seiner Frau sein – besonders, wenn sie sich den ganzen Tag für ihn in der Wirtschaft abgemüht hat. Im übrigen aber sind die Frauen viel pünktlicher als ihr Männer!

So – jetzt will ich den Brief rasch fertig machen und frankieren, denn ich muß mich noch anziehen und frisieren –!

Eine Pünktliche

Privat-Sekretariat
Abteilung: Gefühle
Tgb.-Nr. 1427/28 G b 3

Paris, den heutigen.

Sehr geehrter Herr Uhu!

Bezugnehmend auf Ihre werte Anfrage vom neulichen dieses Monats, erlaube ich mir, im Auftrage von Herrn Peter Panter auf die Frage, ob sich derselbe schon einmal im Mai verliebt hat, folgendes ergebenst zu erwidern:

Laut Verordnung des Panterschen Leibarztes, Herrn Dr. Woronoff, verliebt sich Herr Panter im Mai grundsätzlich nicht. Etwaige Verliebtheiten werden in den November placiert, und auch diese nur in bescheidenem Umfange (etwa 1 Eßlöffel wöchentlich).

Für den Monat Mai sind – immer laut ärztlicher Verordnung – lediglich Auffrischungen alter Lieben vorgesehen. Sie haben den Vorteil, daß die Emotion Panters dieselbe oder doch fast dieselbe ist wie bei einer Neueinstellung. Wir halten es da wie das Publikum im Theater, von dem Tristan Bernard gesagt hat: «Es will überrascht werden, aber nur durch das, was es schon kennt.» Auf diese Weise hat die Abteilung ‹Gefühle› bisher nur Erfolge zu verzeichnen gehabt.

Für dieses Jahr werden wir Herrn Panter vorlegen:

Lisa (lfd. No. 436)
Kitty (No. 234)
Margot (No. 1003)

Die Kosten sind allerdings etwas höher zu veranschlagen als bei Neueinstellungen: so hat Lottchen im vorigen Jahr etwa 836 Mark für Futterkosten, 450 Mark für improvisierte Geschenke, 3,50 Mark für vorbereitete Geschenke verschlungen.

Herr Peter Panter sieht dem Mai gefaßt entgegen: wir haben ihn völlig renovieren lassen, er ist neu gestrichen und sieht, wenn man nicht genau hinsieht, aus wie Casanova bei Gewitter.

Indem wir von Ihnen dasselbe erhoffen, zeichnen wir ohne Mehranlaß für heute

als Ihr sehr ergebenes
Privat-Sekretariat Panter
gez. *Erika*

Einmal – das war in den Ferien und ist noch gar nicht lange her –, da wohnte ich in einer Pension bei Luzern und sah auf den grauen See. Es war ein trübes Wetter, und ich dachte: I, dachte ich, das Pferderennen da unten wird auch nicht sehr lustig ausfallen. Vielleicht war es gar kein Pferderennen – es kann auch ein Wettspringen gewesen sein. Ich weiß nicht viel von diesen Dingen; wenn man mich reiten gesehn hat, dann versteht man, was das ist: Pazifismus. Wo beim Pferd der Kopf ist, da ist vorn... mehr weiß ich nicht, und so werde ich nie einen jener hochfeinen Gesellschaftsromane schreiben, bei denen der kleine Angestellte vergessen soll und vergißt, wohin er gehört. Klassenkampf? Hängt doch den Leuten einen geliehnen Frack auf die Hintertreppe, dann werden sie den Klassenkampf schon vergessen. Ja, also Luzern.

Da saß ich und sah, wie sich der kleine Saal allmählich mit den Gästen füllte, die hier ihr Abendbrot essen wollten. Da war Frau Otto aus Magdeburg, die sah aus wie die protestantische Moral. Die Moral hatte eine Tochter... wenn man sich schon von der Mutter schwer vorstellen konnte, wie sie zu einer Tochter gekommen war, so konnte man sich von der Tochter gar nichts vorstellen, und man wollte das auch nicht. Dann war da der Direktor Zuegli, aus irgend einem schweizer Ort, der der Aussprache nach im Kehlkopf liegen mußte; dann eine fromme Dame aus Genf, die so fein war, daß sie kaum mit sich selbst verkehrte; dann ein alter österreichischer Adliger, der aussah wie Kaiser Franz Joseph und das Personal ebenso unfreundlich behandelte wie jener es wahrscheinlich getan hat... da kam Frau Steiner.

Frau Steiner war aus Frankfurt am Main, nicht mehr so furchtbar jung, ganz allein und schwarzhaarig; sie trug Abend für Abend ein andres Kleid und saß still an ihrem Tisch und las feingebildete Bücher. Ich will sie ganz kurz beschreiben: sie gehörte zum Publikum Stefan Zweigs. Alles gesagt? Alles gesagt.

Und da kam nun Frau Steiner, und ich erkannte sie gar

nicht wieder. Ihre vornehmen frankfurter Augen blitzten, eine leise Röte, die nicht von Coty stammte, lag auf ihren Wangen, und ihr Hut... Der Hut saß um eine Spur, um eine winzige Nuance, um ein Milligramm zu schief. Er saß da oben, so: «Hoppla! Wir sind noch gar nicht so alt! Wenn wir auch eine erwachsene Tochter haben! Das Leben ist doch goldisch!» Was war da geschehen?

Frau Steiner war auf dem Pferderennen gewesen. Sie sagte das zu ihrer Nachbarin, der Frau Otto aus Magdeburg. Und sie erzählte, wie reizend es dort gewesen sei, und wie hübsch die Pferdchen gesprungen seien, und wie nett die Gesellschaft... Aber das dachte sie nicht, während sie erzählte. Ihr Hut sagte, was sie dachte.

Der schiefe Hut sagte:

«Wir haben junge Männer gesehn! Sie haben so stramm zu Pferde gesessen, die Schenkel an den Sattel gepreßt, stramm und locker zugleich. Wir haben uns jung gefühlt – oh, so jung! Das ist doch erlaubt! Wir haben uns gedacht: jeden von diesen jungen Männern könnten wir glücklich machen! Wenn es drauf ankäme! Es ist aber nicht drauf angekommen. Wir haben uns wunderbar unterhalten: im Hellen mit den Leuten auf der Tribüne, und im Dunkeln mit den Reitern. Die schönen Pferde – haben wir gesagt. Gedacht haben wir nichts, aber gefühlt haben wir. Es war wie Sekt.»

Das sprach der Hut. Die Frau hatte sich keineswegs lächerlich gemacht, es war eben nur die winzige Kleinigkeit, um die der Hut zu schief saß. Denn ein junger Mensch darf sich unbesorgt verliebt geben – ein alter Mensch aber muß sehr vorsichtig damit sein, für den Fall, daß es einer sieht. So sind auch unsre Mamas manchmal nach Hause gekommen, von einem Ball oder einem Tee, mit glänzenden Augen, und wir haben uns gewundert, wie verändert sie waren, und was sie wohl hätten.

Es war Licht, das in einen Tunnel gefallen war. Geblendet schloß die Getroffene die Augen und dachte einen Augenblick an ein Leben, das sie zu führen wohl legitimiert sei und das sie nie geführt hatte.

Eine Serenade? Das ist, wenn einer unten steht und spielt Leier und bekommt einen Topf auf den Kopf gegossen. Aber so hat es nicht angefangen, und die Serenade ist einmal eine sehr ernsthafte Sache gewesen.

Das lateinische und katholische Ideal von der Frau setzte jedes weibliche Geschöpf aus guter Familie hinter die Gitterstäbe der Vorurteile, so wie heute noch in Spanien der Verlobte mit seiner Braut vor der Heirat niemals allein sein kann, denn das wäre unschicklich. (In guten südamerikanischen Familien ist das ähnlich.) Was blieb also den armen Liebhabern anders übrig, als abends vor den Fenstern des eingesperrten Liebchens mit einem Saiteninstrument anzutreten und, wie bei Offenbach, zu singen:

«Komm, erschein auf dem Balkone!»

Was heute Operngeste geworden ist, war damals klingender Ernst und manchmal blutiger Ernst: denn wenn der Behüter der jungfräulichen Ehre das kleine Nachtliedchen übelnahm, dann konnte es wohl geschehen, daß sich über der sechssaitigen Gitarre die Klingen kreuzten und mit Tod endete, was mit Gesang begonnen hatte. Konnte der Liebhaber nicht anders zu der Seinigen gelangen, so warf er eine glitzernde Strickleiter aus Tönen vom Garten her an ihr Fenster, und seine hochachtungsvolle Verehrung klomm empor: in Kantilenen, Läufen, Arpeggien und vielen kleinen und großen Serenaden, die wie bunte Kugelbälle in der Nacht vor dem Haus auf- und abstiegen…

Als die Zeit bürgerlicher wurde, die Maschen der Vorurteile weiter und die Entfernungen zwischen den Menschen und Ständen enger, da bekam die Serenade einen sanftkomischen Anstrich. Man sang sie gewissermaßen zwischen Anführungsstrichen und mit jenem heimlichen Zwinkern, das da andeutete: «So ernst meinen wir es ja gar nicht!» Nun war es mehr eine sanft bürgerliche Aufmerksamkeit, die der Liebsten dargeboten wurde, wie ein Blumenstrauß oder ein Pfund Konfekt; denn eben diese Liebste brauchte nicht die Strickleiter zu benutzen, um herunterzuklettern, sondern konnte, wenn auch unter gütiger Aufsicht der Mama, die Treppe des Hauses heruntergehen und mit dem Musikanten ein halbes Stündchen im Garten plaudern, wobei ja nicht unbedingt gesprochen werden mußte.

Immerhin hat diese Saiteninstrumente besonders in Deutschland eine Art Romantik umweht, die vom Süden herüberkam; ihre Musik wehte wie in einem warmen Wind heran, und den lauschenden Mädchen mochte immer so etwas wie eine Art Ritter, Entführer und Don Juan vorschweben. Sie schlossen die Augen und wollten gerne vergessen, daß es nur ein großherzoglicher Rentamtskonzipient war, der da unten im Garten «Laurentia, liebe Laurentia mein» trillerte. Das verblichene Seidenband der Gitarre hing wohl noch lange Zeit in der guten Stube des Ehepaares, bis sich die Motten darüber hermachten...

Das ist übrigens auch schon ziemlich lange her. Heute ist zur Serenade in dieser Form kein Platz, kein Anlaß, keine Zeit und keine Ruhe. Es gibt eine Serenade, die auch heute dargebracht wird. Aber das geht so vor sich, daß sich Hella oben anzieht und natürlich nicht zur Zeit fertig geworden ist (es gibt keine Frauen, die zur Zeit fertig werden), und daß Bert mit dem Wagen vor der Tür wartet und nun ungeduldig in die volle Hupe kneift und singt ihre Serenade «Tatü».

Das hört Hellachen im dritten Stock und beeilt sich nun noch mehr und wirft noch mehr Pomadentöpfe und Schminkstifte durcheinander und wird noch viel später fertig... und unten bläst der Liebhaber immerzu seine Serenade.

Eine Serenade? Aber selbst, wenn der große Überlandwagen keinen Lautsprecher aufstellt, der die Insassen an einem lauen Sommerabend erfreut, so gibt es ja noch einen anderen Apparat, mit dem sich herrlich Serenaden darbringen lassen: das Telefon. Oder ist es vielleicht keine zarte und sinnige Aufmerksamkeit, die Geliebte nachts um zwei Uhr noch einmal aus dem Schlaf zu klingeln, von Nachttisch zu Nachttisch, um ihr das Wichtigste mitzuteilen, das es im Augenblick gibt – dafür Nachtverbindung, dumpfes Rauschen in der Muschel,

Erwartung, nächtliche Stille, Zirpen des elektrischen Stromes und dann schließlich eine verschlafene Stimme. Und nun die wichtige Mitteilung, die nicht länger aufgeschoben werden konnte:

«Habe ich dir eigentlich schon erzählt, daß die Verlobung von Luz auseinandergegangen ist?» Auch das ist eine Serenade; denn es gibt manchmal Augenblicke, wo es nicht so sehr darauf ankommt, was einer sagt – als daß er spricht.

Zur Serenade, zur Nachtmusik im alten Sinne gehört die abendliche Stille der kleinen Stadt und das Verklingen der Glocken und das Schwirren der letzten Falter und des ersten Nachtgetiers und das Aufrauschen der Bäume – in der Geisbergstraße zu Berlin ist so etwas viel schwieriger herzustellen.

«Die Blas-Abendmusik» des Leipziger Stadtpfeifers Petzel liegt verstaubt in den Bibliotheken, und was sich Milchen und Franz abends durchs Fenster mitteilen, dürfte eine Verabredung fürs Kino sein, das den Liebenden, die sich im Dunkeln die Hand drücken, eine Serenade im Bild und im Orchester zeigt.

Und was früher in vierstrophigen Kanzonetten dargebracht wurde, mit langsam aufklingendem Vorspiel und Läufen und sacht absterbendem Saitengesäusel, das erledigt sich heute, vom Auto heraufgerufen, schneller, exakter, sachlicher, eine gesprochene Serenade.

– «Lucy?» – «Ja?» – «Kommste mit?» – «Wohin?» – «Ins Große Schauspielhaus?» – «Was'n da?» – «Wie einst im Mai!» – «Wer spielt mit?» – «Alfred Braun!» – «Gemacht!»

Die Serenade, das ist sozusagen immer die Ouvertüre gewesen. Die Ouvertüre zu einer ewigen Oper, wie manche zur Liebe sagen. Es hat große Künstler der Ouvertüre gegeben, die nachher beim Stück versagten. Manche haben die Serenade schlecht gesungen, aber sich dann behauptet. Es ist darüber gespottet worden, und imposante Szenen sind entstanden. Wer soll schließlich urteilen? Der Liebhaber! Die Minnesänger sind anderer Meinung gewesen als die Chauffeure. Die pathetischen Sänger haben oft die Liebe geringer geachtet als deren Kunst. Der Liebhaber 1927 hat oft recht kunstlos geliebt.

Man könnte der Meinung sein, daß die Frauen auch ein Wort mitzureden haben. Sie sind oft genug besungen worden, ohne befragt zu sein. Doch niemals hat sich ein Liebhaber lächerlich gemacht, vielleicht ist er belächelt worden. Aber oben auf dem Balkon des Schlosses oder des Miethauses in Lichterfelde hat sich durch Jahrhunderte hindurch ein kleiner lächelnder Stolz gezeigt, wenn nicht der der Liebe, so dieser: gerufen zu sein bei diesem einzigen Namen, der niemals wiederkehrt.

Ich persönlich liebe
du liebst irgendwie
er betätigt sich sexuell
wir sind erotisch eingestellt
ihr liebt mit am besten
sie leiten die Abteilung: Liebe

Man löse den Bouillon-Extrakt in zwei Liter Wasser auf, und man hat – – – – – – – – – – – – –

Der Page von Hochburgund. Mit heißem Kopf in dem kleinen Mädchenzimmer auswendig gelernt, ich bin der Page von Hochburgund und trage der Königin Schleppe – schönes Gedicht. Viel, viel schöner als das Gedicht aber war das Kostüm – ein Gedicht von einem Kostüm! Trude hat auch gesagt: Beinah unanständig, aber das hat sie bloß gesagt, weil sie neidisch war; sie durfte ja auch auf den Ball gehen, aber ihre Mama hat ihr bloß so ein murksiges Kostüm zusammengenäht, Marketenderin, nichts Halbes und nichts Ganzes. Ich bin der Page von Hochburgund. Beinah, beinah fiel alles ins Wasser... Krach mit Papa, der in diesen Tagen besonders schlechter Laune war, aber man war doch schließlich kein Schulmädchen mehr...! Besänftigt, liebes Papachen, um den Hals gefallen, abends Ball.

Erst fiel er einem gar nicht auf. Ein guter Tänzer, aber da waren so viele gute Tänzer... Und dann eben doch. Weißt du noch: ich bin beinah mit dem Glas Zitronenlimonade hingefallen, und du hast mich aufgefangen, was hast du gesagt? Ja. «Wenn das deine Königin sieht!» Du hast du gleich gesagt, du warst immer so unverschämt. So begann es.

Der erste Kuß hinter der großen Palme, rechts im Saal. Nachher nichts mehr möglich, weil mit Papa und Mama nach Hause gefahren. Im Auto fast nichts gesprochen... «Was hast du denn? Hast du dich denn nicht gut amüsiert? Wer war denn der große Blonde, mit dem du immer getanzt hast?» Diese Fragen...!

Dann eben das. Es hat sich aber nicht lange gezogen, dann gleich geheiratet. Schwer, Papa begreiflich zu machen, oder eben nicht begreiflich zu machen, daß man heiraten *mußte*, weißt du noch? Ging aber alles gut. Das Kind kam zwei Monate zu früh, fiel gar nicht auf. Dann kam der Krieg.

Flieger natürlich. So ein strammer Junge. Und dann allein zu Hause sitzen, mit der Tochter, dann mit Brotkarten, dann die Angst, die Angst...! Hundertmal im Tage zum Briefkasten gelaufen, ob nicht... Nichts. Man war schon froh, wenn kein Telegramm da war. Dann Postsperre. Dann: er. Er und doch nicht er, aber immerhin: er. Welche hitzigen Urlaube! Zwei Kinder: noch eine Tochter und dann ein Sohn. Dann die Niederlage.

Ich bin der Page von Hochburgund. 1919, an einem bösen Winterabend, wo die letzten Kohlen spärliche Wärme gaben, das Eintrittsbillett zum Ball gemeinsam angesehen. Wo ist das jetzt –? Das ist verloren, wie so vieles andere auch. Ach, Erinnerungen... Dann böse Jahre – er stellungslos, kein Geld, Augenblicksverdienste... dann eine Stellung. Nach Kartoffeln anstehen, Inflation, Börsenkurs; kein Wetter mehr, kein Sonnenaufgang, keine Dämmerung, nur noch Dollarkurse und trage der Königin Schleppe.

Immer nur ein einziger Mann in meinem Leben. Eben doch nicht. Warum, warum! Weil... also wenn ich es genau überlege... ein Schwein. Zugegeben. Aber damals nicht. Er war klein, braun und beweglich, so beweglich. Ganz anders. Ganz anders – das wird es wohl gewesen sein. Ja, das war es wohl: er war eben anders. Ich bin der Page... du lieber Gott, wenn du alles, aber auch jede nur mögliche Bewegung von einem Mann auswendig kennst, dann kennst du ihn eben, wie? Ja. Man versteht es selber nicht, wie das möglich ist: erst geliebt, geliebt, mit allen Herzschlägen, und nun gleichgültig wie ein alter Stuhl. Die Kinder – ja, die Kinder, gewiß. Aber er? Gleichgültig wie ein alter Stuhl. «Du bist so komisch, komisch, heute, Maria...» – «Na ja, ich bin eben komisch.» Auf dem Leibe brannten noch die Küsse des andern. Die Kinder schwankten, eine Tochter hielt zum Vater, der Sohn und die andere Tochter zu ihr. Und dann kam die Geschichte mit der Erbschaft.

Seine Mutter war gestorben. Nun war ja zu erwarten, daß Alfred, sein Bruder, Schwierigkeiten machen würde, er war der verhätschelte Lieblingssohn der Alten gewesen, das hatte alle schon immer geärgert. Aber daß er so etwas aufstellen würde, das hätte doch keiner für möglich gehalten. Wegen jeden Tellers machte er einen Spektakel – es war einfach ekelhaft. Und ihr Mann war nicht energisch genug; er war nicht beweglich genug, er war zu stur, er hätte beweglicher sein müssen. So beweglich wie ... ja. Gegenerklärungen, scheinbar wegen der paar alten Löffel und der Schlafzimmervorhänge – aber in Wahrheit ging es um das Blut: solch ein Haß wie der zwischen Verwandten! Dann mitten im Prozeß, wo sie als Zeugin geladen war, der freche Anwurf vor allen Leuten: «Deine Frau betrügt dich!» Bumm.

Verweint, allein, fallen gelassen, in einem kleinen Pensionsstübchen. Ich bin der Page von Hochburgund. Die Kinder nicht mehr gesehen. Der Braune, leider keine Zeit, verreist, auf Reisen, immer auf Reisen, schreibt nichtssagende Briefe. Die Liebe wie erloschen. Trude wiedergesehen – glücklich verheiratet, gradezu protzig glücklich; ihre Kinder gezeigt, ihren Kleiderschrank – nachher zu Hause viel geweint. Weißt du noch? hat Trude gefragt. Man wollte nichts mehr wissen. Man wollte vergessen. Man hat vergessen.

Alfred hat den Mann wegen Meineid denunziert; Verfahren. Kein Funke von Mitgefühl. Kopfschüttelnd die alte Liebe überdacht: wie ist so etwas möglich, wie ist so etwas möglich! Es war doch einmal. Ja, es war einmal. Aber nun ist da nichts mehr.

Kümmerliche Arbeit im Büro. Es geht, es geht. Natürlich geht es, man hat ja Energie. Freundliche Beziehungen zu einem Arzt, aber er traut sich nicht so recht, und nun das Ganze noch einmal? Noch einmal: erste Liebestage, scheuer Kuß, heißer Kuß, Zusammengehen und Zusammenbleiben – noch einmal? Die Kraft langt nicht mehr. Einmal im Spaß gesagt: «Können Sie mir eigentlich Veronal geben – man weiß nie, wozu das gut ist...!» Er hat ganz erschrockene Augen gemacht. Gleichgültig gelesen, daß das Meineidsverfahren eingestellt ist. Möge es. Das ist vorbei. Krähenfüße um die Augen. Eine nicht mehr ganz junge, etwas dickliche Frau... «Warum heiratet die eigentlich nicht? Sie ist doch geschieden.» Vom Mann, ja. Von der Welt auch. Keiner weiß, wieviel Mut in dieser sauber fortgeführten Existenz steckt, viel Anständigkeit, wieviel stille Größe. Ich bin der Page von Hochburgund und trage der Königin – – – – – – – – – – – – – – und man hat eine nahrhafte, anregende und bekömmliche Suppe.

CHANSON FÜR EINE FRANKFURTERIN

Für Ida Wüst

Wenn die alte Herrn noch e mal Triebe ansetze –
des find ich goldisch!
Wenn se dann nix wie Dummheite schwätze –
des find ich goldisch!
Des hab ich von meim alte Herrn:
ich hab halt die Alt-Metalle so gern...
Wenn ich en Bub geworde wär, hätt ich auch Metallercher
verzollt –
Ja, Jaköbche...
Rede is Nickel, Schweige is Silber, und du bist mei Gold –!

Wenn se newe mir auf dem Diwan sitze –
des find ich goldisch!
wenn se sich ganz wie im Ernst erhitze –
des find ich goldisch!
E Angriffssignal is noch kein Siesch –
ich sag bloß: Manöver is doch kein Kriesch!
Wer will, hat schon fuffzig Prozent. No, un wer zweimal
gewollt...
En Floh is kei Roß,
un e Baiss is kei Hauss...
un Rede is Nickel, Schweige is Silber, un du bist mei Gold –!

Wenn se sich de Hut schief auf de Seite klemme –
des find ich goldisch!
Wenn se die Ärmcher wie Siescher in die Seite stemme –
des find ich goldisch!
Am liebste nemm ich se dann auf den Schoß.
Aber mer hat sein Stolz. Es is kurios:
sei Mutter is net aus Frankfort. Er aach net. Und da hab ich
net gewollt...
Jetzt waan net, Klaaner –
Berlin ist Nickel, Wiesbaden ist Silber, awwer Frankfort is Gold –!

Alle könn sie mir, könn sie mir, könn sie mir!
Huch, die Männer!
Sie sind alle hier, alle hier, alle hier
nischt wie Penner!
Erst da tun sie mächtig fein,
laden mich zum Abend ein.
Und ich kann mich dann nicht halten,
seh ich des Monokels Glanz –:
sag den Jungen und den Alten
grad heraus beim Foxtrott-Tanz:
«Ich hab nu mal den Schwung
ins Ordinäre!
Ick bin die richtige
berliner Beere!
Und bei der Liebe hopps ick jrade wie bein Zeck
nur übern Rinnstein, Rinnstein, Rinnstein
mit 'n Avec!»

Uffn Koppenplatz, Koppenplatz, Koppenplatz
lief ick lange.
Mitn Sabberlatz, Sabberlatz, Sabberlatz –
'ck wah 'ne Range –!
Und mit vierzehn Jahren schon
ging ich bei die Konfektion.
Das war eine feine Lehre
in dem großen Modenhaus;
und ich machte rasch Karriere,
aber manchmal kommt es raus – –
Ich hab nu mal den Schwung
ins Ordinäre!
Ick bin die richtige
berliner Beere!

Und bei der Liebe hopps ick jrade wie bein Zeck
nur übern Rinnstein, Rinnstein, Rinnstein
mit 'n Avec!

Fahr ick viere lang, viere lang, viere lang
Eklipage,
sitz ich ersten Rang, ersten Rang, ersten Rang
in Kleidage:
Alle Leute drehn sich rum –
Donner! die ist gar nicht dumm!
Züngelnd sitzt bei mir mein Hündchen.
Autsch! wie mein Brillantschmuck blitzt –
Aber spitze ich mein Mündchen,
weißte gleich, wer vor dir sitzt –!
Ich hab nu mal den Schwung
ins Ordinäre!
Ick bin die richtige
berliner Beere!
Und bei der Liebe hopps ick jrade wie bein Zeck
nur übern Rinnstein, Rinnstein, Rinnstein
mit 'n Avec!

Mein Gustav ist ein braver Mann...
nur mit dem Charakteehr –
son Stiesel!
Weil er sich nie entschließen kann –
er wackelt hin und her...
son Stiesel!
Er weeß nich, wat er will und mag,
er quengeliert ja bloß!
Und jeden Sonntachnachmittach
jeht det Theater los:
Wo er mit mir hinjehn soll...
denn sag ick liebevoll:

Int Kino jehn, det willste nich –
det is dir viel zu dumm!
Konditorei, det willste nich –
da sitzte ja bloß rum!
Spaziernjehn – det sag ick nich,
weil du denn jleich so brüllst:
Wat willste denn –
wat willste denn –
Ich weeß schon, watte willst –!

'n anderer Mann klebt Marken ein
oder läßt den Radio an –
son Stiesel...
oder löst de Kreuzworträtseln uff –
det tut 'n *anderer* Mann!
Son Stiesel...
Mein Justav sieht den Joldfisch zu
und zieht die Jacke aus –
«Na, Meechen», sacht er, «jehn wa nu
oder... bleiben wa zu Haus...?»

Ich weeß, wie er det meint...
und sahre: «Lieber Freund – –»
Refrain

Man kann den Mann nich böse sein,
es schreit ja ausn raues –
die Liebe.
Und wenn er auch aus Jummi is,
ich schmeiß 'n doch nich raus...
aus Liebe –
In die Natur jibbs ne Saisong
mit Blietenlaub in Haar...
der *Mensch*, der hat et mächtich bong:
der blieht det janze Jahr...
Ick weiß et janz genau:
Wat sacht mal jede Frau –?
Refrain

Auftritt: Eine Marguerite in der Hand, sie langsam und versonnen zerzupfend. Nicht aufsehen. Vor sich hin, wie wenn jedes Wort ein Blatt bedeutete: «Berliner – Margueritenkranz – Text – von – Theobald – Tiger. – Musik – von … – Er liebt mich – von Herzen – mit Schmerzen – ein klein wenig – fast gar nicht – er liebt mich!»

Er liebt mich von Herzen

Wenn ick in Jeschäfte an 'n denke –
det is Liebe – det is Liebe.
Wenn ick ihn 'n neuen Zwetter schenke –
det is Liebe – det is Liebe!
Von de Aufsicht kriej ick nischt wie Schimpfe:
Ich verkaufe lauter linke Strümpfe.
Det is jahnich wichtig,
ick bin janz und jar nich richtig,
weil die Liebe in mir wühlt.

Adolf, mir wird so brühwarm um die Brust!
Adolf, ick hab ja früher nich jewußt,
wie det is mit die Liebe.
Det macht mir so froh!
Du bist auch mein Bester!
(Handbewegung: knorke …
gekrümmter Arm, Faust, mit einem Ruck)
Aber so!

Wenn ick träume an die Kochmaschine –
det is Liebe – det is Liebe!
Wenn ick Mostrich nehm statt Marjarine –
det is Liebe – det is Liebe!
Wie ick wickel meinen kleenen Bruda,

brüllt die halbe Nacht det arme Luda.
Mutta kommt mal lang
und findet in die Windeln mang
den janzen Lokalanzeiger drin.

Adolf, mir wird so brühwarm um die Brust
Adolf, ick hab ja früher nich jewußt,
wie det is mit die Liebe.
Det macht mir so froh!
Du bist auch mein Bester!
(Handbewegung: knorke...
gekrümmter Arm, Faust, mit einem Ruck)
Aber *so*!

Wenn ers uffn Sonntach mit mir vorhat –
det is Liebe – det is Liebe!
Sitz ick hinten drauf auf sein Motorrad –
det is Liebe – det is Liebe!
Wenn wa denn so um de Ecken stuckern,
fühl ick alles mächtig an mir puckern,
platzen mal die Naben:
Na, denn liejen wir in 'n Jraben,
und wir sind in Jlück vaeint...

Adolf, mir wird so brühwarm um die Brust!
Adolf, ich hab ja früher nich jewußt,
wie det is mit die Liebe.
Det macht mir so froh...
Mein kleener Malzbonbong...
(Bewegung)
Aber *so*!

(gesprochen): «Er liebt mich – nicht – liebt mich – ich lieb ihn – lieb ihn nicht – von Herzen – mit Schmerzen – ein klein wenig.»

Fast gar nicht

Ob die Menschen vor Liebe wimmern,
läßt mich kalt – läßt mich kalt.
Ob sie sich um die Liebe bekümmern,
läßt mich kalt – läßt mich kalt.
Erst soll sie bei ihm uffn Schoß sein,
un denn will er sie wieder los sein.
Det Jemache mit die Meechen, det hat ja keen Zweck.
Man schmeißt sie ja doch balde wieder weg.

Mir nimmt keener wat von de Stulle,
mich läßts kalt – mich läßts kalt.
Un jlupscht er mit die Oogen wie son Bulle –
läßt mich kalt – läßt mich kalt.
Er trägt von sein Sophiechen
mit sich rum die Fotografiechen.
Nachher is diß der reine Dreck,
da schmeißt er sie ja alle wieder weg!

Er macht sich fein wien Schneemann
von vorn – von vorn –
und tut sich als Gentleehmann –
von vorn – ja, von vorn –
Er will ihr imponieren
mit seinen fein' Manieren...
Nachher verschwindet der Heck-Meck,
da schmeißt er sie ja alle wieder weg!

Wenn eena glaubt, und er müßte...
aba nich jetzt! – aba nich jetzt!
Ick finde: die janze Kiste
wird überschätzt – stark überschätzt!
Nu singt man keene Arien:
det Scheenste sind die Präliminarien!
    Wat danach kommt, det hat keenen Zweck –
    det schmeißt man ja doch balde wieder weg!

(Stimme hinter der Szene): «Mit Schmerzen...»
Auftritt: Zerraufte Haare, zerbeulter Hut, alles weint: Nase, Augen, Kleider, Taschentuch, pitschnaß. Einige Takte der Musik, unruhig auf und ab gehend... Sieht aus nach allen Seiten: Wo bleibt er? Nichts...

Im Vortrag alle Möglichkeiten des Heulens: das Geplärr, das leise Geschlucks; das kleine verheulte Kinderstimmchen einer Frau, die sich selbst unendlich leid tut, Rotz und Wasser und den Rest.

Mit Schmerzen

Ich stehe an de Ecke alleine,
die Jeschäfte ham alle schon zu.
Ick steh mir den Leib in die Beine.
Hu – hu – huhu – – *(genau im Takt heulen!)*
Mal muß der Rüpel doch kommen,
det dachte ick mir bis jetzt,
ick hab mir 'n Auto jenommen,
un nu hat det Aas mir vasetzt.
  Man is reineweg der Dumme in der Liebe:
  Vor die Säue wirft man seine Perln!
  Jeder Mann verdient doch wirklich nischt wie Hiebe.
    Man is viel zu nett,
    man is viel zu nett,
    zu den Kerlen, zu den Kerlen, zu den Kerln!

Sicher is er mit die Meta,
dieser verschrumpelten Kuh!
Nu schmust er mit ihr – det vasteht a –
Hu – hu – huhu – –
Au, wenn ick *die* morjn krieje!
Mit der wer ick aba intim!

Hoffentlich kricht diese Zieje
Zwillinge, nee Drillinge von ihm!
Man is reineweg der Dumme in der Liebe:
Vor die Säue wirft man seine Perln!
Jeder Mann verdient doch wirklich nischt wie Hiebe.
Man is viel zu nett,
man is viel zu nett
zu den Kerlen, zu den Kerlen, zu den Kerln!

Da steht dran: Bürsten und Besen –
Det Schild les ick nu immazu.
Ick kann det schon jahnich mehr lesen!
Hu – hu – huhu – –
Weiberverführer, Aufputscher...
Da –!
Ob er diß woll wird sein?
Diß war bloß 'n Müllwagenkutscher,
un ick steh nu wieda allein – –
Man is reineweg der Dumme in der Liebe:
Vor die Säue wirft man seine Perln!
Jeder Mann verdient doch wirklich nischt wie Hiebe.
Man is viel zu nett,
man is viel zu nett
zu den Kerlen, zu den Kerlen, zu den Kerln!

Läßt er mir nu aba laufen,
denn weeß ick, wat ick tu!
Ick wer mir 'n Messa kaufen –
Hu – hu – huhu – –
Die solln ihr Jlick nich jenießen!
Ick bin doch ooch uffn Kien...
Ick will se alle aschießen:
erst mich – und denn sie un denn ihn!

(Kein Refrain mehr. – Unter großem Geheul ab!)

Wenn sie früh schon da stehn so in ihren Unterhosen.
Ach, die Kerle!
Wenn sie mit den dicken Stiefeln durch die Zimmer tosen.
Ach, die Kerle!
Und dann putzen sie sich die Zähne,
und dann finden sie nischt alleene,
und dann stör'n sie uns und machen morgens Krach ...
Ach –
Ach, die Kerle, ach, die Kerle, ach, die Kerle!
Jeder Mann denkt: er hat allein 'nen Finger.
Jeder Mann denkt: er hat ein Monopol!
Dabei gibt es doch Millionen solcher Sachen.
Was sie von uns Frauen wissen, ist ja Kohl!
Mit dem Monopol, das kommt
noch
sehr
drauf
an –
Aber schließlich: Kerl ist Kerl, und Mann ist Mann!

Und dann ziehn sie sich vorm Spiegel – denn sie sind doch eitel –
Ach, die Kerle!
Auf dem glattrasierten Kopp 'nen kleinen Kinderscheitel –
Ach, die Kerle!
Elejant sind sie zum Quieken
Doch du darfst sie nicht bekieken
Nackt im Badezimmer – denn dann wird dir schwach ...
Ach –
Ach, die Kerle! Ach, die Kerle! Ach, die Kerle! –
Jeder Mann denkt: er hat nur allein 'nen Finger –
Jeder Mann denkt: er hat ein Monopol.
Dabei gibt es doch Millionen solcher Sachen.
Was sie von uns Frauen wissen, ist ja Kohl!

Mit dem Monopol, das kommt
noch
sehr
drauf
an –
Aber schließlich: Kerl ist Kerl, und Mann ist Mann!

Wenn sie schon so ankomm' und sie wolln uns lieblich necken –
Ach, die Kerle!
Na, dann weiß ich schon, dann ham sie meistens Dreck am
Stecken
Ach, die Kerle!
Wenn sie wie ein Gockel wandern,
Gehn sie grade zu 'ner Andern –
Und die muß man sehn, das Stückchen Ungemach – –
Ach – –
Ach, die Kerle! Ach, die Kerle! Ach, die Kerle! –
Jeder Mann denkt: er hat allein 'nen Finger –
Jeder Mann denkt: er hat ein Monopol.
Dabei gibt es doch Millionen solcher Dinger!
Gegen Ehescheidung hilft allein Odol.
Mit dem Monopol, das kommt
noch
sehr
drauf
an –
Aber schließlich: Kerl ist Kerl, und Mann ist Mann!

STOSSSEUFZER EINER DAME, IN BEWEGTER NACHT

Der Teufel hol den schwarzen Kaffee, wieviel Uhr mags denn sein?
Ich kann ja nicht, kann ja nicht schlafen!
Und neben mir der alte Affe schläft immer gleich ein,
und ich kann nicht, ich kann nicht schlafen!
Ich bin ja noch munter und plage mich
und guck an mir runter und frage mich:
Sind das meine Beine – oder sind das deine Beine – oder sind das unsre Beine – oder wie?
Mensch, schlaf nicht – schlaf bloß nicht – in Kompagnie!

Da liegen viele Zeitungsnummern und ein Buch übern Tanz...
was nützt es denn, wenn ich noch lese?
Kann einer nämlich nicht entschlummern, und der andre, der kanns –:
dann wird man, dann wird man so beese...
Seh ich ihn so schlafen, dann will ich das auch.
Und er stößt mir die Beine in meinen Bauch...
Sind das meine Beine – oder sind das seine Beine – oder sind das unsere Beine – oder wie...?
Mensch, schlaf bloß nicht – schlaf bloß nicht – in Kompagnie!

Das ist die Hölle wie von Dante – der Mann ist so roh!
Die Decke, die ist immer seine...
Ich kipple ängstlich auf der Kante – mal so und mal so –
man denkt, man hat siebenhundert Beine.
Seh ich mir so an, welcher Haarwuchs ihn ziert:
es wär Zeit, daß er sich mal die Beine rasiert...
Sind das meine Beine – oder sind das seine Beine – oder sind das unsere Beine – oder wie...?
Mensch, schlaf bloß nicht – schlaf bloß nicht – in Kompagnie!

Als kleine Mädchen, bunt bebändert – hatten wir einen Wunsch:
für die Nacht einen leiblichen Grafen!
Inzwischen hat sich das geändert – ich zieh einen Flunsch –
ich kann ja zu zwein doch nicht schlafen!
    Ich wünsch mir nur eines, aber das wünsch ich sehr:
    ich möcht mal allein sein – dann fragt ich nicht mehr:
Wem gehört denn – wem gehört denn – wem gehört denn das
                                                                                                    Bein!
    Lieben: ja.
                Aber schlafen? Allein...!

Der dressierte Affe ist nun endlich ins Bett gebracht worden, er hat noch zum Juchhei aller Damen imaginär das Töpfchen benutzt, Herrgott, daß den Dresseuren auch gar nichts anderes einfällt! Die Springer sind gesprungen, die Leute am Reck haben sich gereckt, und nun haben sie einen schwarzen Samtvorhang herabgelassen, die Bühne bleibt einen Augenblick leer, das Orchester spielt hastig den kommenden Refrain... da ist sie. Keine langen Beine, die Finger, wie so oft bei Französinnen, kurz – das Ganze eine erste Nummer für Dijon. Gott weiß, wer sie nach Paris engagiert hat. Sie singt.

Pars –!
Sans te retourner,
Pars –!
Sans te souvenir!
Ni mes baisers, ni mes étreintes,
En ton cœur n'ont laissé d'empreintes...

Ein Groschenlied, natürlich. Eines von denen, die unter einem runden, weißrot gestreiften Sonnenschirm auf der Straße verkauft werden, drumherum steht im Ring das Publikum und lauscht dem Orchester: Geige, Harmonika, Mann mit Megaphon und eine Frauenstimme. Sie singen es dreihundertsechzigmal am Tag – nachher verkaufen sie die Noten.

Je n'ai pas su t'aimer,
Pas su te retenir...
Pars –!
Sans un mot d'adieu,
Pars –!
Laisse-moi souffrir –

Merkwürdig, daß man das alles gar nicht übersetzen kann. «Meine Küsse nicht und nicht meine Umarmungen haben Spuren in deinem Herzen zurückgelassen...» Gut, Kammholz; nun noch mal das Ganze auf französisch... Schon: ‹pars› – wie soll man das sagen? Geh? Schieb ab? Hinfort mit dir. Es gibt im Deutschen kein einsilbiges Wort dieser Bedeutung mit einem a, das man so schön singen könnte wie ‹pars› –

Le vent qui t'apporta t'emporte
Et, dussé-je en mourir qu'importe
Pars –!
Sans te retourner!
Pars –!
Sans te souvenir...

Da bleibt das Lied in der Terz hängen und verhallt. Die Dame steigt in die zweite Strophe.

Ne t'excuse pas, tu n'es pas coupable...

Nein, du bist nicht schuldig! Du hast ausgehalten bis zu allerletzt – ich, ich bin schuldig, ich krummer Hund auf meinem Parkettsitz. Fremde sitzen neben mir, links ein fetter Mann, rechts eine alte Dame mit weißem Haar. Mit mir spricht niemand. Zu mir sagt keiner: «Da vorn sitzt ein neuer Bräutigam vor mir – ein ungewöhnlich schöner Junge!» Ich bin unabhängig, ein freier Mann –

Tu ne sauras pas toute ma détresse
Tout le vide affreux de ton abandon –

Gar nicht. «Die schreckliche Leere, seitdem du weggegangen bist...?» Gar nicht. Gar nicht. Doch.

Prends dans un baiser l'ultime caresse –

Diese Moorbäder von Tröstungen, ein schmutziges Opium mit bösen Reaktionen... Nur diese Ersatzfrauen nicht wiedersehen – nur das nicht – in den fremden Augen steht eine unendlich kleine Fotografie von mir selbst, in welcher Aufmachung! In welcher Haltung! Ah, nein. Aber es ging schließlich nicht länger.

Nous ne sommes plus que des étrangers –

Aber es ging doch nicht mehr – nicht wahr, es ging doch nicht mehr weiter? Das wußten wir doch beide, nicht wahr?

Noch diese Zwietracht eint – letzte Bindung: wir, wir haben uns gezankt – nein, auseinandergelebt.

Poursuis ton chemin –

Wie zwei Bahnlinien, die sich einmal gekreuzt haben, jetzt ist der eine Zug schon längst in Flandern, der andere in Paris – aber einmal haben sie sich gekreuzt. Übrigens ist das alles ausgesprochen kindisch: in dieser riesigen, rotgoldenen Halle gibt es hundert Unglückliche, zehn Kranke, acht Entlassene, die noch keine neue Stellung haben und die nicht wissen, wie das nächsten Monat werden soll – und seinen kleinen Herzensjammer wird wohl jeder haben. Ach ja – jeder wird ihn haben, soll ihn haben – ich kann doch hier nicht allein sitzen und mich zum Narren machen. Ich bewahre aber gute Haltung, und man sieht mir gar nichts an. Pars –! Natürlich heißt das: Schieb ab.

Und nun muß dieses verfluchte Weib eine Zeile singen, eine einzige –:

Le souvenir est un chemin très long!

Eine weiche Faust schnellt von der Bühne herunter, preßt mich, würgt, mein Speichel trocknet aus, die Augen sind verschleiert… Ich schlucke. Und stehe vorsichtig auf und störe die alte Dame, der fette Mann sieht mir verwundert nach, da gehe ich auf Zehenspitzen hinaus. Sie singt:

Pars –!
Sans te retourner,
Pars –!
Sans te souvenir…

Ein Mann, der in einem kleinen Kabinett steht und heult – das ist wohl etwas hervorragend Lächerliches. Man hört noch ein ganz kleines bißchen Musik. Übrigens stirbt keiner im höchsten Schmerz. Alles arrangiert sich, es geht ein langsamer Wechsel der Zellen vor sich – und weil niemand in fortgesetzter Ekstase leben kann, verfliegen Töne und Musik und Tränen, als wären sie nie gewesen.

Von der Verliebtheit. Von ihr nichts zu bekommen, ist immer noch hübscher, als mit einer andern zu schlafen.

Der Kerl versteht nichts von Frauen. Den feinen Damen bietet er Geld an, und auf die Huren macht er Gedichte. Und damit hat er auch noch Erfolg!

(Aus den Sprüchen des Pfarrers Otto): «Die Frauen sind die Holzwolle in der Glaskiste des Lebens.»

Von der Eifersucht. Ich sagte zu Germaine: «Heute nacht habe ich von dir geträumt – aber wie!» Sie zog die Stirn kraus. «Alors tu m'as trompée avec moi!» sagte sie.

Karlchen ist derartig hinter den Mädchen her! Er hat den Coitus tremens.

Liebe ist, wenn sie dir die Krümel aus dem Bett macht.

Sie ließ sich beizeiten von ihm scheiden, weil er Witze um die entscheidende Nuance zu langsam erzählte.

Manche Kritiker haben zu Hause so schreckliche Frauen. Und deshalb haben manche Schauspielerinnen so hohe Gagen.

Mit dem nackten Körper stets den Begriff der Erotik verbinden: das ist ungefähr so intelligent, wie beim Mund stets an Essen zu denken. Mit dem Mund ißt man nicht nur; man spricht auch mit dem Mund. Durch die nackte Haut atmet man.

Die Frauen haben es ja von Zeit zu Zeit auch nicht leicht. Wir Männer aber müssen uns rasieren.

Die Frau und der berühmte Mann. «Wieviel Beifall er hat! Wenn er mich liebte – ich hätte den Beifall und die Liebe!»

Die Frau als Rezensentin des Geliebten: «Er liebt mich nicht mehr wie früher. Also ist nichts mehr mit ihm los.»

Er trug sein Herz in der Hand, und er ruhte nicht, bis sie ihm aus der Hand fraß.

Die beste Übersetzung für puella publica, die mir bekannt ist, heißt: Vorfreudenmädchen.

Das Liebespaar, das sich, von einander entfernt, verabredet, um halb elf Uhr abends an einander zu denken. Keiner tuts. Aber jeder freut sich: wie verliebt der andre doch sei.

Wie schlafen die Leute –?

Eine Frau, allein	im Pyjama
Eine Frau, nicht allein . . .	im Nachthemd
Ein Mann, allein	Nachthemd
Ein Mann, nicht allein . . .	Pyjama.

So eigentümlich ist es im menschlichen Leben. (Protest auf allen Seiten des Hauses.)

Bitter, wenn sie einen Liebhaber gehabt hat, der mit Vornamen so heißt wie du.

In der Ehe pflegt gewöhnlich immer einer der Dumme zu sein. Nur wenn zwei Dumme heiraten –: das kann mitunter gut gehn.

Einer schönen Frau zuzusehn, die sich anzieht, das ist so schön wie der Anblick junger, spielender Raubtiere. Alles geschieht im höchsten Ernst und ist doch Spiel. (Oho!) Ja, ich weiß schon.

5

Das Lottchen

DAS LOTTCHEN

Ankunft

Der Liebhaber: «Guten Tag, Lottchen – na, wie ist es denn –?»

Das Lottchen (hintereinanderweg): – «Guntach! Halt mal, warte mal... ich muß hier erst... wartest du schon lange? Wie? Was? Wie? Mach mir mal die Tür hier auf, wartest du schon lange? Wieso hast du dies Hötel genommen, wie? Na, wie gefällt dir mein Auto, Lottchen II? Ja, da staunste, was? Beinah ganz abgestottert. Wartest du schon lange? Der soll man hier meinen Koffer... nein! Den nicht! Den! Sie! Wo gehn Sie denn damit – ach so... Nein, doch nicht! Die Düse ist hier in den Regenerator gerutscht, die ist da reinge... das verstehst du nicht, na, Gott behüte vor einem Mann, der nichts von Autos versteht! Daddy, geh mal weg, ich dreh bloß mal die Felge über die Nabe – Vorsicht! Vorsicht doch! Da hab ich doch mein Obst im Grammophon... ja da, natürlich im Hutkarton, wo sonst? Nicht in der Schachtel, – da sind die Akten für Arturs Geschäft, *ich* denke eben an meinen Mann, das tust du nicht! Sach mal dem Mann, er soll mal dies hier nehm und da hintragen – Gott, ist das ein Ochse! ... Wart mal, ich muß erst die Handbremse in die Kiste für die Zündung tun, da gehört sie hin. Das verstehst du eben nicht! Na, Daddy, das *kannst* du dir ja nicht denken... wieso hast du *dies* Hötel genommen, wie? Wartest du schon lange? Daddy, das *kannst* du dir nicht denken, also, wie ich bei Wittenberge rechts in die Kurve gehe, da ist sone Kurve, da kommt von links, hastdunichtgesehn, ein Amerikaner angetobt, ich aber nichts wie den Volang rumgerissen, verstehste, Lottchen ist doch helle, und links, ja also links – wieso hast du aber wirklich... Daddy, jetzt sage mal auf Lottchen, *wieso* hast du *dies* Hötel genomm'? Ja, also links war eine Schafherde, paß doch mal auf, und Lottchen rin in die Schafherde. Der Hammel, der Hirt, nein, der nicht... aber vier wirkliche Hammel und dreiundachtzig Schafe hab ich... wieso bezahlt? Er mir vielleicht...! Der Mann kann sich... wo ist denn hier der Fahrstuhl? Ich hab auf der Bürgermeisterei gesacht, na, du kennst doch Lottchen! Lottchen hat gleich dem Gendarmen schöne Augen gemacht, verstehste, und da hat der Schafhirt noch einen mächtigen Anschnauzer bekommen, wegen seinen Hammeln, weil die frei rumgelaufen sind, und Lottchen durfte weiterfahren! Finnste das? Wo ist denn hier der Fahrstuhl? Was? Der funktioniert nicht? Daddy! Ich muß ja noch mal raus! Na, warte doch mal! Na, was denkst du dir denn? Ja, meinste, das Auto kann hier auf der Straße stehnbleiben? Nee, mein Lieber – Sie! Sie! Ham Sie denn hier keine Garage in der Hötelhalle... ich meine... na, 'n schönes Hötel – laß mich doch – ich sage immer: Hötel, das ist feiner... na, ich versteh das ja nicht... also, Daddy – wo ist denn Ihre Garage? Was? Wie? Wie? Seh ich gar nicht ein... das hab ich gern: soziales Herz bei Lottchens Auto! Tragen Sie mal das Auto hier rüber, ich meine, und hier haben Sie... laß mich doch mal – ich geb ihm gar kein Geld, ich geb ihm bloß meinen kleinen Koffer, den kann er auf die andere Schulter nehmen – natürlich bezahlst du das! Na, ich vielleicht? Na, Daddy, hast du gedacht, ich wer das Auto mit aufs Zimmer nehmen? Na, nimm mirs nicht übel...! Sie –! Jetzt ist er weg. Na, also komm rein. Nu steh hier nicht auf der Straße rum. Na, Lottchen hat ja unterwegs eine piekfeine Eroberung gemacht! Einen Argentinier, schlank, elegant, mit so schwarzen Augen, hat mir gleich seine Adresse gegeben, na, ich bin ja meinem Daddy treu – Daddy, die Garage kost nich teuer, vier Mark den Tag, wie? Ist dir das zuviel? Der Fahrstuhl funktioniert nicht... Daddy, finnste das, daß der Fahrstuhl nicht funktioniert? Ist denn kein andrer Fahrstuhl – dazu komm ich extra aus Interlaken, um hier in Bremen die Treppen raufzu... Also, Daddy, das ist Quatsch, entweder ich reise als Dame, oder ich reise nicht als Dame, aber als Dame und dann nicht als Dame –? Ja, und der Argentinier, wie der nu gesehen hat, daß ich immer rein in die Hammelherde, da hat er... Daddy, wieso hast du denn dies Zimmer genommen und nicht zwei mit einem Bad in der Mitte, was? Legen Sie dahin! Daddy, bestell mal Kaffee für Lottchen, Lottchen hat sonen Durst – na, fahre du mal in einer Tour von Berlin bis Bremen, wo ist denn meine Seife? Hast du Kaffee bestellt? Hast du denn Lottchen auch noch lieb? Gib ihr mal 'n Küßchen – aber 'n schönen dicken Bauch hast du dir in Belgien angefressen, kann man wohl sagen – hm… wo bleibt denn der mit dem Kaffee? Klingel mal! Der Direktor soll kommen, ich will mich beschweren! *Daddy* –! Jetzt hab ich vergessen, den Motor abzustellen! Frag mal, ob sie nicht 'n Chauffeur haben, der Motor muß sofort abgestellt werden, der läuft sonst die ganze Nacht, und mir hat der Mann gesagt, wenn nicht mehr genug Benzin im Öltank ist, dann – ach, hätt ich doch das Auto mit aufs Zimmer, nein, wär ich doch bei dem Auto geblieben! Daddy, wie lange hast du denn nu Zeit? Daddy, was sagst du denn nun, daß Lottchen wieder bei dir ist! Sag wal was! *Du sagst ja gar nichts…*»

Der Liebhaber (ersterbend): «Seid einig – einig – einig –!» (Er sinkt hintenüber.)

LOTTCHEN BESUCHT EINEN TRAGISCHEN FILM

«Setz dich nicht auf meine Tasche. Laß mich mal dahin. Ist das noch Wochenschau? Was? Wie? Das ist noch Wochenschau, was? Also wie ich dir sage: ich würde die Möbel nicht in Holland kaufen. Du kennst das da nicht so, guck mal! ne Feuerwehr! – und überhaupt: hier in Berlin hab ich meine Quellen, mein Freund Käte sagt auch... Wieso? Ich sage: mein Freund Käte – die ist wien Mann. Sag ich dir. Bloß viel netter.

Guck mal: noch ne Feuerwehr. Warum sind in den Wochenschaun soviel Feuerwehren? Was? Und was kostet überhaupt son Möbeltransport... ich hab mich erkundigt, was das macht, wart mal... ich hab mir das aufgeschrieben... So! jetzt ist mein Notizbuch runtergefallen, heb doch mal auf!

Na, laß mich mal... geh mal weg... geh doch mal weg! Aua!... Ich komm ja gar nicht wieder hoch... war hier was inzwischen? Nee – was? Das is ja Zimt, was die da spielen, unter uns gesagt... ich hab mir das aufgeschrieben: vierzehn Pfennig pro... jetzt weiß ich nicht mehr, ob es pro Kilo oder pro Zentner war... aber jedenfalls waren es vierzehn Pfennig.

Das ist doch kein Geld, was? Wie? Wenn du so lang wärst, wie du dumm bist, könntst du aus der Dachrinne saufen. Jetzt wirds hell.

Nettes Kino, was? Warum haben sie das so blau gestrichen? Du, die Käte hat sich ein himmlisches Schlafzimmer machen lassen, auch so blau – na, 'n bißchen heller, als das da und weißer Schleiflack, wunderbar! Kaufst du mir so was? Nein. Siehst du, solchen Pelz will Lottchen haben, so, wie die da hat – nicht die, du Ochse, die kleine Dicke! Na, sie kann ihn nicht tragen – aber solchen Pelz.

Nu wirds dunkel... kaum, daß man mal was lesen will, wirds dunkel. Daddy, ist das der große Film, von dem sie soviel geschrieben haben? Ja? Is er das? Sei mal ruhig, ich muß mal lesen, wer alles mitspielt. Sei jetzt still, ich muß lesen... Pudowkin – kennst du Pudowkin? Wahrscheinlich ein Russe – was?

Du, bei Lützows haben sie jetzt ein russisches Dienstmädchen, die kann kein Wort deutsch, nur 'n bißchen französisch. Komisch, was? Jetzt gehts los. Das kann ich dir sagen: wenn meine Tante mir noch einmal so einen frechen Brief schreibt... weißt du, ich gönn ja keinem Menschen was Böses, aber willst du mir vielleicht sagen, wozu so was auf der Welt... Hübsche Person.

Du, der Film kann aber nicht neu sein, son Hut trägt kein Mensch mehr! War auch gar nicht kleidsam – Lottchen hat nie sonen Hut getragen. Daddy, du mußt mir unbedingt noch eine Tasche kaufen; die du mir fürn Abend gekauft hast, ist ja sehr hübsch... aber nun habe ich für den Tag gar nichts. Nein, die brauche ich fürs Auto. Die blaue? die ist für den Nachmittag, für den Vormittag fehlt mir eine!

Für die Stadt! Das verstehst du nicht. Na, ich wers dir sagen: also ich hab mir heute eine gekauft. Du kaufst mir ja doch keine. Das Geld darfst du mir zurückgeben. Na, laß man. Ich sag immer: Lieber arm und reich, als jung und alt. Was steht da –?

AUF MÄNNER, DIE LIEBEN,
KANN MAN NICHT BAUEN.

Sag ich doch immer. Daddy, vorgestern abend war ich mit Spannagel zusammen. Er sah ganz gut aus.

Quatsch – mit dem Mann will ich doch gar nichts mehr zu tun haben; du stellst dich auch an – nur, weil ich mit ihm mal verheiratet war –! Er hat übrigens erzählt, er geht nächstens nach China, er will da den Bürgerkrieg studieren. Sehr interessant, ich hab ihm gesagt, er soll man vorsichtig sein; ich finde, wenn einer in den Krieg geht, muß er vorsichtig sein.

Du, das ist mein Typ. Sei mal still... stör einen doch nicht immer, wenn man sich einen Film ansehen will! Du, das ist mein Typ! Sieht beinah aus wie Tilden. Wunderbare Figur, was? Der hat keinen Bauch, wunderbare Figur. Schade, nu is er weg.

Daddy, mit dem Reichsentschädigungsamt hab ich mir das also folgendermaßen ausgedacht: Wenn die die achtzehn Prozent für die Kriegsguthaben bewilligen, zuzüglich der Nachtragsrente für Kinder, verstehst du? und wenn der Anwalt dann noch durchdrückt, daß die zweite Entschädigungsrate von der ersten so abgezogen wird, daß die Umrechnungsquote bei der Reichsanleihe raufgesetzt wird –: dann kann ich den Ring auslösen!

Du löst ihn mir ja nicht aus. Sage selbst – löst du ihn aus? Du sollst ihn auch gar nicht auslösen. Ich meine bloß so. Aber du löst ihn nicht aus. Guck mal, wo haben sie das aufgenommen? Wahrscheinlich in Frankreich, was? Der Anwalt hat aber gesagt, er kann nicht garantieren, daß der Prozeß noch dieses Jahr zu Ende ist – ich hab ihm gesagt, Peter ist heute zehn Jahre, bis zu seiner Volljährigkeit wart ich noch, aber dann hat meine Geduld ein...

Du lachst! Ich bin eine alleinstehende Frau und muß mir alles allein machen! Na, alles nicht, Ferkel. Hat Karlchen geschrieben? Nicht? Was? Hat er nicht geschrieben? Ich werde ihm mal schreiben: ob er vielleicht seine Bräute so behandelt, wie du mich behandelst.

Karlchen ist eben ein Kavalier. Nein, auch von vorn... laß mir meinen Karlchen! Jakopp ist aber auch sehr nett – überhaupt ich will dir mal was sagen... wenn deine Freunde... Allmächtiger, was kullert die mit den Augen! Du himmlischer Braten! Warum tut sie denn das? Was? Na, erklär mir das doch mal – wozu gehe ich denn mit einem Mann ins Kino!

Sssst! Was die Leute bloß immer reden, wenn sie im Kino sind! Man versteht ja gar nichts...! Du, warum hat die denn so mit den Augen gekullert, was? Die findest du nett? Na, dein Geschmack... Ich frage mich wirklich manchmal, was du eigentlich an mir hast... Na, ich bin ja dein Irrtum. Das ist mal sicher. Blond bin ich nicht, schöne Beine hab ich auch nicht, sagst du immer – bitte, ich hab sehr gute Beine!

So schöne, wie deine Putti noch allemal! Von Dickchen gar nicht zu reden. Und Musch? Hat Musch vielleicht schöne Beine? Spitze Schuhe hat sie; kein Mensch trägt mehr... Daddy, hast du zu Hause das Licht ausgemacht? Na, denn ist gut. Was steht da?

TRETEN SIE ZURÜCK – NUR ÜBER UNSERE DREI LEICHEN GEHT DER WEG!

Daddy, dabei fällt mir ein, ich muß mir mal von der Käte das Rezept für die Rohkostsuppe aufschreiben lassen – wir haben sie neulich bei Mühlbergs gegessen, wunderbar, ganz schwer, wie Krebssuppe also, das hat einen ausgesprochenen Krebsgeschmack, ist aber ganz vegetarisch... Hast du das gesehn? Hast du das gesehn? Wie die das Pferd rumgerissen hat? Doll. Was? Was spielen die da? Křenek? Mag ich gar nicht. Magst du das? Ich war voriges Jahr da mit Hornemann... du, der Hornemann ist jetzt nach Südamerika gegangen... er schreibt, da tragen die Frauen alle wundervolle Waschseide.

Daddy, du könntest mir eigentlich mal – nein, kauf mir lieber eine Brücke für die Wohnung, weißt du, so eine echte Perserbrücke... na, Daddy, du kannst nicht sagen, daß ich dich mit Wünschen belästige. Ich möchte mal sehn, was du andern Frauen schenkst... Natürlich kriege ich die Wohnung. Das heißt: der Wirt legt noch Berufung ein, weil wir doch Kette tauschen; also Willachs in der Augsburger Straße geben ihre Wohnung gegen einen Abstand an Bernhardt, und Bernhardt tauscht mit Willer, wenn Marie einverstanden ist, heißt das, sie ist aber nicht einverstanden, weil sie sich scheiden lassen will, sie ist jetzt mit Bromberg, sie wird sich aber nicht scheiden lassen, da wäre sie ja schön dumm, und wenn ich nun mit Josenstein über Hippels weg tausche und der Wirt vorher stirbt, und wenn Romel seine Wohnung an mich abgibt –: dann kriege ich die Wohnung.

Laß man: der liebe Gott wird Lottchen schon nicht verlassen. Ich kenne den Mann. Was? Wie? Es ist komisch: Männer verstehn nie, was man ihnen erklärt – Männer verstehn überhaupt...

Aus. Schon aus? Das war alles? Ja, wahrhaftig: die Leute stehen schon auf. Daddy, jetzt sag mir aber mal eins – das hab ich nicht kapiert:

Warum heißt der Film: ‹*Die Jungfrau von Orleans*› –?»

«Gar nichts. Ich habe gar nichts. Ich? Nichts. Nein...

Frag nicht so dumm – man kann ja auch mal nicht guter Laune sein, kann man doch, wie? Ich habe gar nichts.

Nichts. Ach, laß mich. Na, ich denke eben nach. Meinst du, bloß ihr Männer denkt nach? Ich denke nach. Nein, kein Geld – meine Rechnungen sind alle bezahlt. Alle! Ich habe keinen Pfennig Schulden. Was? Keinen Pfennig. Bloß die Apotheke und das Aquarium, das ich mir neulich gekauft habe, und die Schneiderin und bei Kätchen. Sonst nichts. Na ja, und die fünfzig Mark bei Vopelius. Nein, wegen dem Geld ist es auch nicht. Wegen des Geldes! Was du bloß immer mit der Grammatik hast – die Hauptsache ist doch, daß ich Geld habe. Ich habe aber keins.

Ach, der Kerl, der... Na, nichts. Na, dieser Kerl. Der Seemann, von dem ich dir neulich erzählt habe. Er war doch ein bißchen tätowiert wie ein Seemann und sah aus wie ein holsteinischer Bauernjunge. Nein, ich war nie in Holstein – ich denk mir das so. Was mit dem ist? Ach, laß mich.

Natürlich, doch, ja! Seemann ist er. Nein, er war nicht mehr hier. Ich dachte immer, er würde mal kommen. Wieso? Wieso! Weil er mich angepumpt hat! Wieso ist das die Höhe? Das ist gar keine Höhe! Ich pump dich doch auch manchmal an. Aber ich sag wenigstens nicht, daß ichs dir wiedergebe! Nein, nicht viel. Ist ja egal. Ach... ich weine gar nicht. Viel nicht. Einmal fünfzig Mark und einmal achtundsechzig. Na und –?

Na und? Ich hab doch gedacht, er wär zwei Jahre auf See gefahren. Das hat er mir erzählt. Bitte, meine Freunde lügen nicht... wenn die was erzählen, dann ist es wahr, meistens ist es sogar wahr. Die lügen eben nicht alle wie du neulich mit Micky. Hast du die Person wiedergesehn?

Er war gar nicht auf See. Auf dem Land natürlich. Ach, laß mich.

Na, er hat eben gesessen.

Anderthalb Jahre. Ich weiß nicht warum. Wo? Das ist doch egal. In Plötzensee.

Ich weiß nicht, weswegen – laß mich in Ruhe. Es hat mir einer erzählt. Da war ein Mann, der holt sich hier immer alte Kindersachen ab, die geb ich ihm, und der hat für einen Freund gebeten, den haben sie grade entlassen, und da sind wir ins Gespräch gekommen, und da hat er auf einmal den Namen von dem gesagt, von dem Seemann. Und da ist es rausgekommen. Die kannten sich alle zusammen. Anderthalb Jahre. Mir hat er gesagt, er war in Bali. Und dabei war er in Plötzensee.

Ich weiß nicht, warum – laß mich in Frieden! Darauf kommt es auch gar nicht an! Mein Geld...? Ich war gleich auf der Kriminalpolizei. Du, da war aber so ein netter Mann, der mich da empfangen hat, den habe ich gefragt. Ich habs ihm alles erzählt. Sah sehr gut aus, der Mann – ein Kriminalrat oder so. Wie ich rausgehn will, sagt er zu mir: Frau Laßmann, sagt er, Sie haben zu schöne Augen! Das Weiße da drin: ganz blau! Hat er gesagt! Und dann war ich nochmal da, und da hat er mir Gedichte vorgelesen, der Mann macht nämlich Gedichte. Na, meinste, du machst bloß alleine Gedichte?

Sollen sie sich vielleicht vorne reimen – natürlich haben sie sich hinten gereimt! Sehr schöne Gedichte. Und er hat gesagt: Das ist ja glatter Betrug! Glatter Betrug ist das! Vorspiegelung falscher Tatsachen, sagt er. Und er wird da hinterhaken. Und dann hat er mir noch ein Gedicht vorgelesen. Ob ich so zu meinem Geld komme? Daddy, ich werd dir mal was sagen:

Mein Geld will ich gar nicht wiederhaben! Der Kerl ist bei mir gestrichen. Ich, mit einem Seemann? Nie wieder. Ist das eigentlich ein höherer Beamter, ein Kriminalrat?

Und hier ist noch eine Rechnung, die kannst du auch bezahlen. Warum sagst du Ahoi? Und ich werde dir mal sagen, woher das alles kommt:

Ich habe viel zu wenig Geld, und viel zu viel Herz. Und bei dir ist es eben umgekehrt. Ahoi –!»

«Es ist ein fremder Hauch auf mir? Was soll das heißen – es ist ein fremder Hauch auf mir? Auf mir ist kein fremder Hauch. Gib mal 'n Kuß auf Lottchen. In den ganzen vier Wochen, wo du in der Schweiz gewesen bist, hat mir keiner einen Kuß gegeben. Hier war nichts. Nein – hier war wirklich nichts! Was hast du gleich gemerkt? Du hast gar nichts gleich gemerkt... ach, Daddy! Ich bin dir so treu wie du mir. Nein, das heißt... also, ich bin dir wirklich treu! Du verliebst dich ja schon in jeden Refrain, wenn ein Frauenname drin vorkommt... ich bin dir treu... Gott sei Dank! Hier war nichts.

...Nur ein paarmal im Theater. Nein, billige Plätze – na, das eine Mal in der Loge... Woher weißt du denn das? Was? Wie? Wer hat dir das erzählt? Na ja, das waren Plätze... durch Beziehungen...

Natürlich war ich da mit einem Mann. Na, soll ich vielleicht mit einer Krankenschwester ins Theater... lieber Daddy, das war ganz harmlos, vollkommen harmlos, mach doch hier nicht in Kamorra oder Mafia oder was sie da in Korsika machen. In Sizilien – meinetwegen, in Sizilien! Jedenfalls war das harmlos. Was haben sie dir denn erzählt? Was? Hier war nichts.

Das war... das ist... du kennst den Mann nicht. Na, das werd ich doch nicht machen – wenn ich schon mit einem andern Mann ins Theater gehe, dann geh ich doch nicht mit einem Mann, den du kennst. Bitte: ich hab dich noch nie kompromittiert. Männer sind doch so dußlig, die nehmen einem das übel, wenn man schon was macht, daß es dann ein Berufskollege ist. Und wenn es kein Berufskollege ist, dann heißt es gleich: Fräulein Julie! Man hats wirklich nicht leicht! Also du kennst den Mann nicht! Du kennst ihn nicht. Ja – er kennt dich. Na, sei doch froh, daß dich so viele Leute kennen – biste doch berühmt. Das war jedenfalls ganz harmlos. Total. Nachher waren wir noch essen. Aber sonst war nichts.

Nichts. Nichts war. Der Mann... der Mann ist eben – ich hab ihn auch im Auto mitgenommen, weil er so nett neben einem im

Auto sitzt, eine glänzende Begleitdogge – so, hat das die Reventlow auch gesagt? Na, ich nenne das auch so. Aber *nur* als Begleitdogge. Der Mann sah glänzend aus. Doch, das ist wahr. Einen wunderbaren Mund, so einen harten Mund – gib mal 'n Kuß auf Lottchen, er war dumm. Es war nichts.

Direkt dumm war er eigentlich nicht. Das ist ja... ich habe mich gar nicht in ihn verliebt; du weißt ganz genau, daß ich mich bloß verliebe, wenn du dabei bist – damit du auch eine Freude hast! Ein netter Mann... aber ich will ja die Kerls gar nicht mehr. Ich nicht. Ich will das überhaupt alles nicht mehr. Daddy, so nett hat er ja gar nicht ausgesehn. Außerdem küßte er gut. Na so – es war jedenfalls weiter nichts.

Sag mal, was glaubst du eigentlich von mir? Glaubst du vielleicht von mir, was ich von dir glaube? Du – das verbitt ich mir! Ich bin treu, Daddy, der Mann... das war doch nur so eine Art Laune. Na ja, erst läßt du einen hier allein, und dann schreibst du nicht richtig, und telefoniert hast du auch bloß einmal – und wenn eine Frau allein ist, dann ist sie viel alleiner als ihr Männer. Ich brauche gewiß keinen Mann... ich nicht. Den hab ich auch nicht gebraucht; das soll er sich bloß nicht einbilden! Ich dachte nur: I, dachte ich – wie ich ihn gesehn habe... Ich habe schon das erstemal gewußt, wie ich ihn gesehn habe – aber es war ja nichts.

Nach dem Theater. Dann noch zwei Wochen lang. Nein. Ja. Nur Rosen und zweimal Konfekt und den kleinen Löwen aus Speckstein. Nein. Ich ihm meinen Hausschlüssel? Bist wohl...! Ich hab ihm meinen Hausschlüssel doch nicht gegeben! Ich werde doch einem fremden Mann meinen Hausschlüssel nicht geben...! Da bring ich ihn lieber runter. Daddy, ich habe ja für den Mann gar nichts empfunden – und er für mich auch nicht – das weißt du doch. Weil er eben solch einen harten Mund hatte... und ganz schmale Lippen. Weil er früher Seemann war. Was? Auf dem Wannsee? Der Mann ist zur See gefahren – auf einem riesigen Schiff, ich habe den Namen vergessen, und er kann alle Kommandos, und er hat einen harten Mund. Ganz schmale Lippen. Mensch, der erzählt ja nicht. Küßt aber gut. Daddy, wenn ich mich nicht so runter gefühlt hätte, dann wäre das auch gar nicht passiert... Es ist ja auch eigentlich nichts passiert – das zählt doch nicht. Was? In der Stadt. Nein, nicht bei ihm; wir haben zusammen in der Stadt gegessen. Er hat bezahlt – na, hast du das gesehn! Soll ich vielleicht meine Bekanntschaften finanzieren... na, das ist doch...! Es war überhaupt nichts.

Tätowiert! Der Mann ist doch nicht tätowiert! Der Mann hat eine ganz reine Haut, er hat... Keine Details? Keine Details! Entweder ich soll erzählen, oder ich soll nicht erzählen. Von mir wirst du über den Mann kein Wort mehr hören. Daddy, hör doch – wenn er nicht Seemannsmaat gewesen wäre, oder wie das heißt... Und ich wer dir überhaupt was sagen:

Erstens war überhaupt nichts, und zweitens kennst du den Mann nicht, und drittens weil er Seemann war, und ich hab ihm gar nichts geschenkt, und überhaupt, wie Paul Graetz immer sagt:

Kaum hat man mal, dann ist man gleich – Daddy! Daddy! Laß mal... was ist das hier? Was? Wie? Was ist das für ein Bild? Was ist das für eine Person? Wie? Was? Wo hast du die kennengelernt? Wie? In Luzern? Was? Hast du mit der Frau Ausflüge gemacht? In der Schweiz machen sie immer Ausflüge. Erzähl mir doch nichts... Was? Da war nichts?

Das ist ganz was andres. Na ja, mir gefällt schon manchmal ein Mann. Aber ihr –?

Ihr werft euch eben weg!»

«Also sind das jetzt alle Schulden, die du hast?»

«Das sind alle.»

«Lottchen, daß du mir aber nicht hinterher mit neuen kommst – du weißt: im vorigen Jahr, in Lugano, habe ich auch alles bezahlt, und wie ich fertig war...»

«Daddy, ich schwöre dir – diesmal habe ich wirklich alles gebeichtet! Meine Kassen sind überhaupt tadellos in Ordnung – also wirklich!»

«Gut. Also gib noch mal die Aufstellung her; ich will das mit deinen Kassenbüchern vergleichen... allmächtiger Gott, das sind deine Kassenbücher?»

«Na, was denn?»

«Diese traurigen Fetzen?»

«Selber trauriger Fetzen! Geh mal weg! Gib mal her – bring mir das nicht durcheinander – ich hab mir das so schön geordnet...! Soll ich vielleicht doppelte Buchführung machen mit Hauptbuch in Kaliko und sonem Quatsch... gib mal her!»

«Was ist denn das?»

«Das ist der Zettel von den Schulden; aber die hier gelten nicht, die sind schon bezahlt, nein, die sind noch nicht bezahlt, aber die haben Zeit. Die können warten! Kätchen kann warten.»

«Hat dir dein Freund Käte wieder Geld gegeben? Ich habe dir doch gesagt, du sollst die Frau nicht anpumpen. Ihr Mann ist Arzt und verdient... ja, ich weiß schon. Aber ich will das nicht. Wieviel?»

«Vierzig Mark.»

«Da steht doch aber 65 Mark?»

«Ja... das heißt... das sind noch fünfundzwanzig Mark, die habe ich... die hat sie mir...»

«Also fünfundsechzig. Und was ist das? Hundertundzehn Mark?»

«Das ist für die Kinder. Schuhe und Strümpfe.»

«Also, weiß Gott: es sind ja nicht *meine* Kinder. Hundertundzehn. Teure Kinder hast du. Fünfundsechzig und hundertundzehn ... so geht das überhaupt nicht. Gib mal her – jetzt werde ich mal eine neue Aufstellung machen! Also:

Kätchen.	65
Kinder	110
Hankemann	92

Ja, die hast du gebeichtet – ich weiß schon.

Louis Brest ... ach so, die Bank, wieviel? Zweihundertundneun Mark? Sage mal, Lottchen, dir piekt es wohl?»

«Wieso? Das ist ein altes Debet-Konto, das habe ich ... Das verstehst du nicht – Herrgott, hör doch mal zu! Ich habe mir aus meiner Kleiderkasse im Mai, nein, im vorigen Oktober, fünfundvierzig Mark geborgt, bitte, ich geb sie mir zurück, ich kenn mich doch, mir kann man borgen; und die habe ich in die Kinderkasse getan, und weil in der Reisekasse noch neunundachtzig Mark wegen der Gasrechnung gefehlt haben, da habe ich eben die Miete vom nächsten Vierteljahr genommen – und auf diese Weise habe ich auf der Bank ein Debet-Konto! Das ist doch lohrisch!»

«Ja, das ist logisch. Aber davon hast du nichts gesagt. Ich will dich ja gern sanieren, das tue ich ja alle Jahre, dieses Großreinemachen – zweihundertundneun Mark Debet ... sage mal, Lottchen, wer glaubst du eigentlich, wer ich bin?»

«Du bist ein alter Gnietschfritze! Hab dich doch nicht so wegen der zweihundert Mark! Überhaupt sind sie nicht eilig! Die haben Zeit!»

«Und kosten Zinsen! Also weiter:

Louis Brest.	209
Werßhofen	54

Was ist das?»

«Das ist das, wo ich dir neulich gesagt habe!»

«Davon hast du nichts gesagt!»

«Davon habe ich nichts gesagt? Das ist ja großartig! Ich habe nur nicht vierundfünfzig gesagt, damit du nicht sonen Schreck kriegst ... ich habe nur einen Teil zugegeben.»

«Wieviel?»

«Drei Mark fünfzig. Das hat man davon, wenn man Rücksicht nimmt! Die gehören überhaupt in die Wirtschaftskasse. Die

Schulden, das sind gar nicht meine Schulden... das schuldet die Wirtschaftskasse!»

«Wem?»

«Der Kleiderkasse. Nu weiter!»

«Also wovon ich das alles bezahlen soll... ich weiß es nicht. Ich weiß es wirklich nicht.

Werßhofen 54
Postscheck 28

– was heißt Postscheck achtundzwanzig...?»

«Gib mal her. Ich weiß nicht... Ach so! Das habe ich an Papa mit Postscheck zahlen wollen.»

«Hast dus denn gezahlt?»

«Nein. Papa war damals grade auf Reisen.»

«Wo ist das Geld?»

«Wo ist das Geld! Wo ist das Geld! Komische Fragen stellst du! Das Geld ist natürlich weg!»

«Wo es ist, will ich wissen!»

«Mein Gott, ich hab es an Neschke geschickt, wegen der Schuld.»

«Wegen welcher Schuld?»

«Na, ich... also ich schulde ihm noch achtundvierzig Mark, vom vorigen Jahr! Herrgott, ich kann nicht immer mit demselben Hut rumlaufen, man kommt sich ja schon rein dämlich vor! Alle Frauen haben einen neuen Hut, bloß ich nicht! Mach nicht son Gesicht – Neschke kann warten; den brauchst du nicht bezahlen!»

«Zu bezahlen!»

«Verbesser einen doch nicht immer! Das ist ja schlimmer wie ein Lehrer!»

«Als.»

«Wie?»

«Als. Schlimmer als ein Lehrer. Nach dem Komparativ...»

«Ist hier Grammatik, oder machen wir hier Kasse? Also weiter. Neschke wartet – er ist darin viel kulanter wie die Münchner.»

«Welche Münchner?»

«Ach... ich habe da auf der Reise... Daddy, du brauchst

nicht gleich zu schreien, zu nach brauchen, ich war doch auf der Durchreise in München, und da habe ich so ein entzückendes Automäntelchen gesehn...»

«Mäntelchen ist schon faul. Wieviel?»

«......»

«Also wieviel?»

«Hundertundzwanzig. Aber ich trage es noch drei Jahre!»

«Diese Frau ist der Deckel zu meiner Urne. Ich vermag es fürder nicht. Fürder ist ein seltenes Wort, aber du bist auch selten. Sind das nun alle Schulden?»

«Das sind alle. Dann bloß noch die Apotheke und fünfzig Mark beim Doktor. Aber der kann wirklich warten. Du brauchst ihn nicht zu bezahlen! Ich will es nicht! Ich will es wirklich nicht! Den bezahl ich allein! Er kann warten! Wirklich!»

«O Popoi. Nein, das ist nicht unanständig; das ist griechisch. Nun schreib mir das alles auf, und ich werde es in meine Brieftasche legen und es mir beschlafen. Großer Gott, du siehst es. Blick herunter! Schreib es so, daß man es lesen kann! So, danke. Ich geh jetzt mal runter, Zigaretten kaufen – gib her! Lottchen, du bist eine teure Dame. Aber nun ist auch wirklich alles aufgeschrieben? Ja? Das ist alles? Das ist nun wirklich alles?»

«Das ist alles. Heiliges Ehrenwort. Das ist wirklich alles. Ich bin gar keine teure Dame – ich bin viel zu billig. Bei meinen Qualitäten! Auf Wiedersehn!»

«Auf Wiedersehn!»

(Das Lottchen): «Jetzt hab ich richtig vergessen, ihm die zweiundzwanzig Mark Bridgegeld anzusagen! Allmächtiger Braten! Ach was... ich buch sie in die Sportkasse –!»

6

Freie Bahn dem Seitensprung

BERLINER LIEBE

Steht dir der Sinn nach Liebe in den Orten
Westend bis Köpenick:
dann senk den Blick
und unterscheide im Objekte die drei Sorten:

Da gibt es Frauen mit den Scheitelhaaren,
gepunztes Silber auf dem falschen Busen,
teils im Reformkleid, teils in Eigenblusen,
die einmal – ach, wie weit! – fast reinlich waren
(jetzt dunkelweiß).
                    Bei Sturm und Regen
gehn diese gern durch Wald und Flur allein,
das Lodenhütchen keck auf einem Ohre,
und sprechen mit sich selbst und mit Tagore...
Soll die es sein –?
Sie sagen Feuilletons, eh man sie legt.
Sie sind sehr edel.
                    Aber nicht gepflegt.

Da gibt es solche, unten rum aus Seide,
im samtnen Mantel mit dem Waschbärkragen –
nach ihren Eltern mußt du sie nicht fragen.
Sie ist euch treu – und so liebt ihr drei beide.
Groß ausgehn nennt der Fachmann dein Getue.
Führ sie ins Kino, ins Theater ein!
Sie tanzt den neusten Schritt, kennt alle Paare,
hat jeden Monat frisch gefärbte Haare...
Soll die es sein –?
Sie spricht nicht viel.
Doch was sie spricht, ist Kitt.
Und sie nimmt alle süßen Ecken mit.

Willst du die Jüngerin Thaliens küren?
Sie offenbart, wenn sie mit dir im Bund ist,
was ihr Direktor für ein Schweinehund ist:
er wollt sie alle in Versuchung führen –
Das tät sie nie. (Fast nie.)
                    Es rinnt die Rede:
Von Proben, Premerieen, Klatscherein –
sie meistere Spiel und Sprache wie nur wenige,
sie spiele Olala und Iphigenie …
Soll die es sein –?
Beim Papa Rickelt! Süß in allen Phasen:
Sie liebt.
                    Und bringt dich zeitig untern Rasen.

So geh, du Liebeswanderer, von Haus zu Haus.
Berlin ist groß.
                    Nun such dir eine aus!

MIR IST HEUT SO NACH TAMERLAN

Tamerlan war Herzog der Kirgisen,
und jeder Mensch in Asien wußte wohl das.
Tamerlan ritt über grüne Wiesen,
und wo der Junge einmal hintrat, wuchs kein Gras.
Und alle Frauen lauschten angstvoll seinem Schritt,
und fiel'n die Städte, fiel'n die Mädchen alle mit.
Er war auch stets zu einem wilden Kampf bereit,
das war in Asien eine schöne Zeit.
Mir ist heut so nach Tamerlan, nach Tamerlan zu Mut!
Ein kleines bißchen Tamerlan, ja Tamerlan wär gut.
Es wäre ja, geniert mich das, geniert mich das, gelacht.
Ich glaube, es passiert noch was, passiert noch was heut Nacht.
Mir ist heut so nach Tamerlan, nach Tamerlan zu Mut!
Ein kleines bißchen Tamerlan, ja Tamerlan wär gut.
Und sehe ich ins Publikum, da liegt heut so ein Fluidum.
Ach Mensch gehn Sie weg, es hat ja nur Zweck mit dem Tamerlan.

Tamerlan, mein liebes Kind, ja Kuchen!
So einen Tamerlan, den möcht' ich wohl auch.
Tamerlan, da kannst du lange suchen,
wer mit Devisen handelt, der hat einen Bauch.
Und wenn 'ne kleine Frau 'ne große Glatze küßt,
dann weiß sie, daß das alles für die Katze ist.
Du suchst dir hier vergeblich einen Tamerlan,
nu guck mal runter, sieh sie dir mal an.
Hier ist doch gar kein Tamerlan, kein Tamerlan zu sehn,
ein kleines bißchen Tamerlan, ja Tamerlan wär schön.
Seh ich mir hier die Männer an, die Männer an, eih weih!
Da ist ja gar kein Tamerlan, kein Tamerlan dabei!
Mir ist heut so nach Tamerlan, nach Tamerlan zu Mut,
ein kleines bißchen Tamerlan, ja Tamerlan wär gut!
Die sind ja nichts für dich und mich, die haben alle einen Stich!
Ach weine nicht sehr, den gibts ja nicht mehr, solchen Tamerlan.

Dies aber macht mir vielen Kummer:
  Wenn du dich gabst,
Wenn du, verehrte dolle Nummer,
  Mich schweigend labst –

Daß dann trotz deiner Erzroutine,
  Trotz Witz und Trick,
Trotz der monströs beherrschten Miene,
  Trotz halbem Blick –:

Daß du – bei deines Busens Knöpfen! –
  Mir doch entfliehst.
Ich kann dich niemals ganz erschöpfen,
  Wenn du genießt.

Umsonst. Ich hab dich nicht gefunden.
  Komm! Halt mich fest!
Ich liebe nach all den wilden Stunden
  Den kleinen Rest.

Noch einmal denn! Vielleicht blüht morgen
  Der alte Stamm.
Sonst aber hab ich keine Sorgen!
  Grüß Gott, madame!

DIE INSEL

Ich konnte kaum die Nacht erwarten,
nun war sie da.
Eintrat ich in den Liebesgarten –
und bin dir nah.

Die Skala der Gefühle spielen wir:
ein Duett.
Du exzellierst in allen Stilen –
adrett … kokett …

Scham. Abwehr. Weichen. Überfließen.
Ermattung. Schlaf.
Wie wir uns lose treiben ließen …
Du schlummerst brav.

Der Morgen graut. Da rutscht die Zeitung
leis durch den Spalt,
Die böse Mittlerin, die Leitung –
Das Schlagwort knallt.

Im Dämmern les ich eine Zeile:
«Herr Müller spricht.»
Hart tickt die Uhr in dummer Eile.
Wir bleiben nicht.

Wir treiben fort. In das Gerinnsel
blick ich zurück.
Du gabst auf einer kleinen Insel
ein kleines Stundenglück.

Du schläfst bei mir. Da plötzlich, in der
Nacht, du liebe Dame,
Bist du mit einem Laut mir jäh erwacht –
War das ein Name?

Ich horche. Und du sagst es noch einmal –
im Halbschlaf: «Leo...»
Bleib bei der Sache, Göttin meiner Wahl!
Ich heiße Theo.

Noch bin ich bei dir. Wenn die Stunde
naht, da wir uns trennen:
Vielleicht lernt dich dann ein Regierungs-
rat im Teeraum kennen.

Und gibst du seinen Armen nachts dich preis,
den stolzen Siegern: –
Dann flüstre einmal meinen Namen leis
und denk an Tigern.

DAME IN WEISS

Auf einer Redoute, des Nachts um halb eins,
da wogten der Masken gar viele.
Es tanzten die Farben, ein jeder trug seins
im eignen historischen Stile.
Die freundlichen Gruppen
der Rococopuppen,
es tanzt der Pierrot
im fetten o-ho,
es tanzen die Pritzelgestalten
in weichen und seidigen Falten.
Nur eine, nur eine,
sie hat die schlankesten Beine...
Nur sie sah ich, immer nur sie,
denn sie trug sich so gänzlich uni.
Dame in Weiß, Dame in Weiß,
was kann das Leben denn kosten?
Dreh dich im Kreis, Dame in Weiß,
dreh dich im ruhigen Boston!
Gabst mir dein Haar, blond, wie es war,
immerdar sollst du mir tanzen,
dreh dich im Kreis, nimms nicht so heiß,
reizende Dame in Weiß!

Sie kam zu mir gerne. Kam zu mir nach Haus.
Sie mochte nur tanzen und küssen,
sie sprang aus den lästigen Hüllen heraus
und hat vor mir tanzen müssen.
Wie weiß lag das Zimmer
im milchigen Schimmer.
Die Sonne, sie sengt,
die Fenster verhängt,
hell stand sie da vor mir, die Traute,
und ich spielte für sie auf der Laute.

Es packte die Nackte
die Tanzmelodie nach dem Takte.
Nur sie sah ich, immer nur sie,
denn nun trug sie sich gänzlich uni.
Dame in Weiß, Dame in Weiß,
was kann das Leben denn kosten?
Dreh dich im Kreis, Dame in Weiß,
dreh dich im ruhigen Boston!
Gabst mir dein Haar, blond, wie es war,
immerdar sollst du mir tanzen,
dreh dich im Kreis, nimms nicht so heiß,
reizende Dame in Weiß!

Wie lang ist das her! Wie oft denk ich dran,
Es hat sich so vieles gewandelt.
Man bot mir so oft schon was Ähnliches an,
heut wird ja mit allem gehandelt.
Man tanzt, was verboten,
für teure Banknoten,
nach jeder Façon
in manchem Salon.
Und doch bei den letzten Finessen
kann eine ich niemals vergessen.
Die Glieder, das Mieder,
das war einst und kommt niemals wieder.
Du tanztest so arglos im Scherz,
denn es tanzte ja schließlich dein Herz.
Dame in Weiß, Dame in Weiß,
was kann das Leben denn kosten?
Dreh dich im Kreis, Dame in Weiß,
dreh dich im ruhigen Boston!
Gabst mir dein Haar, blond, wie es war,
immerdar sollst du mir tanzen,
dreh dich im Kreis, nimms nicht so heiß,
reizende Dame in Weiß!

DAS TAUENTZIENMÄDEL

Ich gehe um die Ecken;
Männer, diese kecken,
sie sind mir alle gänzlich einerlei!
Ich zähle fünfzehn Lenze
und bin dicht an der Grenze,
wo man noch sagt: «Da ist doch nichts dabei!»
Ich bin die kleine Kitty,
Papa sitzt in der City,
Mamachen ist mit drin in dem Komplott!
Kann entwischen, ich liege grade zwischen
Unschuldsengel und Kokott'!
Und ich geh', und ich geh', und ich geh'
und probier es mal ein bißchen, ein kleines bißchen;
kommt der Mann aber dann näher ran,
wisch ich aus und rufe:
«Stopp! Fauler Kopp! Blonder Zopp! Kühler Kopp!»
Was ich auch noch im Munde führe,
ich bleib' stets bei der Ouvertüre!
Das macht, weil ich alles seh
in den Straßen rings um's K. d. W.

Ein Hauptmann fand mich neulich
gewandt und recht erfreulich
und lud mich zu sich in die Wohnung ein.
Ich ging, man muß doch lernen,
ich ging in die internen
Gemächer seiner Löwenhöhle rein.
Die Ampel mit Gefunkel
ließ uns in halbem Dunkel,
so las ich es oft bei Sudermann.
Und er küßte und fragt mich, ob ich wüßte,
wie und wo und was und wann.
Und ich geh', und ich geh', und ich geh'

und probier es mal ein bißchen, ein kleines bißchen;
kommt der Mann aber dann näher ran,
wisch ich aus und rufe:
«Stopp! Fauler Kopp! Blonder Zopp! Kühler Kopp!»
Was ich auch noch im Munde führe,
ich bleib' stets bei der Ouvertüre!
Das macht, weil ich alles seh
in den Straßen rings um's K. d. W.

Auf allen Bällen tanz ich
mit Herrn, die über zwanzig,
wo Kinder herkomm'n, Gott, wer weiß das nicht!
Da muß ich schon sehr bitten!
Wir sind doch fortgeschritten,
ich weiß sogar schon, wie man keine kriegt.
Ich weiß die tollsten Sachen –
Ich weiß, wie sie es machen.
Ich kenn die Bilder mit den Akten drauf,
steht im Blättchen was von Erzkokottchen,
klär ich meine Mama auf.
Und ich geh', und ich geh', und ich geh'
und probier es mal ein bißchen, ein kleines bißchen;
kommt der Mann aber dann näher ran,
wisch ich aus und rufe:
«Stopp! Fauler Kopp! Blonder Zopp! Kühler Kopp!»
Was ich auch noch im Munde führe,
ich bleib' stets bei der Ouvertüre!
Das macht, weil ich alles seh
in den Straßen rings um's K. d. W.

DIE BARFRAU

Ich lächle alle Gäste an,
ich mix schon sieben Jahr in der Bar...
Mit Cocktails ist mein Herz gefärbt,
mit Wasserstoff mein Haar in der Bar.
Sind die Büros geschlossen,
graut den Herren vor zu Haus:
dann hab'n sie noch 'ne «Konferenz»
und quatschen sich hier aus!
Na, ist doch wahr... na, ist doch wahr...
immer rüber, immer rüber über die Bar...
Sei doch nicht so dumm, Schatz,
ein Cognac schadet nie!
Zehn Prozent vom Umsatz...
und acht Mark Garantie!
(gesprochen:) Manhattan für den Herrn!
'n Manhattan kannste kriegen, aber wollt ich unterliegen:
müßt' ich keine Barfrau sein!

Da hockt der Kavalier und gähnt
auf seinem hohen Sitz in der Bar;
von einer Barfrau wünscht der Gent
'nen unanständigen Witz in der Bar.
Ich erzähl ihm klar und deutlich
die Pointe vorne an;
Damit so 'n abgehetzter Mann
ihn auch verstehen kann!
Na, ist doch wahr... na, ist doch wahr...
immer rüber, immer rüber über die Bar...
Sei doch nicht so dumm, Schatz,
ein Cognac schadet nie!
Zehn Prozent vom Umsatz...
was heißt denn hier Esprit!
Ein Portwein für den Herrn! (gesprochen)

Mal komm' sie auch mit ihren Frau'n
– das kann ich gut verstehn – in die Bar.
Was die sich nämlich nicht getrau'n,
das woll'n sie bei uns sehn in der Bar.
Da hab'n sie nun die Frauen,
und manche sind so süß …
Jenne zieh'n mit ei'm Gezumpel rum,
da wird ei'm aber mies!
Na, ist doch wahr … na, ist doch wahr …
immer rüber, immer rüber über die Bar …
Sei doch nicht so dumm, Schatz,
ein Cognac schadet nie!
Heb du man den Umsatz der Liebesindustrie!
Ein Glas Wasser für den Herrn!
Der Herr ist nicht wohl …! (gesprochen)

Manchmal spritzt aus den Kerlen raus
die reine Poesie … Schon jebongt!
Da heißt es dann: «Hier sitzen Sie
nu na, so 'ne Frau wie Sie!» Schon jebongt.
Lieber Freund, es ist die Wahrheit,
und wenn du dran erstickst:
Ich mixe Flips und Eiergrogs,
aber mit mir wird nicht gemixt!
Na, ist doch wahr … na, ist doch wahr …
Sei doch nicht so dumm, Schatz,
ein Flip ist auch ganz fein!
'n Manhattan kannste kriegen, aber wollt' ich unterliegen:
müßt ich keine Barfrau sein!

AUF EIN FROLLEIN

Gott Amor zieht die Pfeile aus dem Köcher,
er schießt. Ich bleib betroffen stehn.
Und du machst so verliebte Nasenlöcher...
Da muß ich wohl zum Angriff übergehn.

«Gestatten Sie...!» Du kokettierst verständig.
Dein Auge prüft den dicken Knaben stumm.
Der ganze Kino wird in dir lebendig,
du wackelst vorn und wackelst hinten rum.

In deinem Blick sind alle Bumskapellen
der Sonnabendabende, wo was geschieht.
Ich hör dich Butterbrot zum Aal bestellen –
Gott segne deinen lieben Appetit!

Ich führ dich durch Theater und Lokale,
durch Paradiese in der Liebe Land;
du gibst im Auto mir mit einem Male
die manikürte, kleine, dicke Hand.

Aus weiten Hosen seh ich dich entblättern,
halb keusche Jungfrau noch und halb Madame.
Ich laß dich sachte auf die Walstatt klettern...
Du liebst gediegen, fest und preußisch-stramm.

Und hinterher bereden wir im Dunkeln
die kleinen Kümmernisse vom Büro.
Durch Jalousien die Bogenlampen funkeln...
Du mußt nach Haus. Das ist nun einmal so.

Ich weiß. Ich weiß. Schon will ich weiterschieben –.
Ich weiß, wie die berliner Venus labt.
Und doch: noch einmal laß mich lieben
dich

wie gehabt.

IN DER KAHLBAUM-DIELE

In der Nacht, wenns uns Vergnügen macht,
und wenn der Mond, der alte Bummler, runterlacht,
ziehn wir los mit einer Menge Moos
und wissen ganz genau, die Stimmung wird famos.
In der Nacht, wenn jede Jazzband kracht,
und wenn die heiße Liebe brennt, die wir entfacht.
Na gehn wir mal mit mächtigem Skandal
von einem in das andre Nachtlokal.

In der Kahlbaum-Diele hab ich sie gefragt,
ob ich ihr gefiele, hat sie Nein gesagt.
Doch ich wußt gleich weiter und gab ihr zwei Drinks
mit 'nem kleinen Hm-ta-ta, Hm-ta-ta, Hm-ta-ta,
und da sagte sie gleich Ja, und wupp – dann gings.

In Berlin, wo nachts die Autos ziehn,
da blühen überall Vergnügungsindustrien.
Der Asphalt von unsern Schritten hallt,
wir sind noch jung, wir sind noch jung und noch nicht alt!
Denn Berlin, das ist nicht zu erziehn,
da hörst du jede Nacht die neuen Melodien.
Na gehn wir mal mit mächtigem Skandal
von einem in das andre Nachtlokal.

In der Kahlbaum-Diele hab ich sie gefragt,
ob ich ihr gefiele, hat sie Nein gesagt.
Doch ich wußt gleich weiter und gab ihr zwei Drinks
mit 'nem kleinen Hm-ta-ta, Hm-ta-ta, Hm-ta-ta,
und da sagte sie gleich Ja, und wupp – dann gings.

«Nein, Sie stören gar nicht. Kommen Se rein – das ganze Personal ist schon weggegangen. Ja, ich hab noch ze tun. Setzen Se sich solange dahin, nein, nicht auf die Kuverts! Dahin. Ja. Na, was tut sich? Gott, sosolala. Ja, meine Frau ist immer noch in Heringsdorf. Ich habe mich heute mittag verspätet. Welsch war da, wir haben zusammen gegessen, nu muß ich nachholen. Sie sehn nicht gut aus, Regierer – was haben Sie? Ich unterschreibe inzwischen die Post, Sie erlauben doch...? Danke. Nein. Vorigen Sonnabend? Ich? Mich haben Sie in der Scala gesehn? Da müssen Sie sich getäuscht haben. Das muß ein Doppelgänger gewesen sein! Ausgeschlossen. Nu, ich sag Ihnen doch... Nein! Wann soll das gewesen sein, um zehn in der Pause? Mit ner großen Blondine? Lächerlich. Gott weiß, wen Sie da erkannt haben. Sie haben meine Stimme im Gedränge gehört...? Was hab ich gesagt? ‹Ich würde gern mal die Probe machen, liebes Kind›? Das soll ich gewesen sein –? Regierer, ich wer Ihn mal was sagen. Nehm Sie ne Zigarre?

Also hören Se zu, und machen Sie mir da keine Unannehmlichkeiten. Ich hab Ihnen doch gesagt, daß meine Frau erst in acht Tagen wiederkommt. Hier haben Sie Feuer. Da ist der Aschbecher. Also neulich hatt ich bei Kraft zu tun, er zeigt mir da ein paar neue Muster, ich will meiner Frau was anschaffen, wenn se zurückkommt, fürn Winter... der Mann schwimmt im Geld, das sag ich Ihnen... da geht eine fabelhafte Blondine durch. 'n Mannekäng. Ich sage zu Kraft, wer ist das, sage ich. Also er erzählt, das ist ein Frollein... Name tut ja nichts zur Sache, eine sehr anständige Person, hat einen Freund, natürlich... aber sonst: nich rühr an. Na, dacht ich... Wissen Sie, ich bin sonst gar nicht so – aber in der letzten Zeit, ich weiß nicht, ich fühl mich noch verflucht jung. Jetzt kann ich doch den Brief von Schleusner nicht finden! Also wir reden noch so, Kraft gibt mir sonst immer fünfzehn Prozent, an dem Tag wollt er bloß zehn geben, weiß ich, warum – da wird er ans Telefon gerufen. Er geht raus, und wie ich noch so in den Sachen rumwühl, kommt die Person rein. ‹Ist Herr Kraft da?› sagt sie. Ich sage: ‹Nein, aber wenn Sie mit mir vorlieb nehmen wollen?› Na, ich streichel ihrs Händchen, sie sagt: ‹Mit so alten Seegn will ich überhaupt nichts zu tun haben›, so gibt ein Wort das andre – und schließlich hat sie mir dann versprochen, daß sie mit mir zusammen sein will. Na, haben Sie sowas gesehn, der Brief ist weg! Wo ist denn der...? Ich hab sie also für Sonnabend bestellt, ausgehen. Sie wollte durchaus in die Scala – ich hab ihr gesagt, das ist doch Wahnsinn, wo mich alle Leute kennen – sie hat gesagt, ach Unsinn, jetzt sind alle Leute weg, ich weiß doch aus dem Geschäft. Da sind wir also zusammen ausgegangen. Ja, also sie ist achtundzwanzig Jahr alt, hat ne Wohnung in der Bayreuther Straße, die bezahlt ihr Freund, der ist Prokurist bei Erdölundfette – übrigens eine sehr gute Sache... nicht Reißner, der ist doch nicht szerjeehs...! sie verdient sehr schön, vierhundert bei Kraft und manchmal Provision, der Freund gibt ihr auch noch tausend, also sie kommt aus. Die tausend versteuert sie natürlich nicht. Ihre alte Mutter wohnt in Landsberg. Der Brief ist weg – autsch! jetzt hab ich mir die Finger geklemmt... Gegessen haben wir in der Rüdesheimer Klause, kennen Se das? Ich kenn das noch von früher, 'n sehr nettes Lokal und gar nicht teuer. Sie wollte erst zu Hessler, ich hab gesagt, mein liebes Kind, das geht nicht, auch deinetwegen nicht. Das hat sie dann eingesehen. Na, und dann hat sie mir ihre Wohnung gezeigt. Reizend, sag ich Ihnen! Ein kleines Eßzimmer, sehr gemütlich, ein Gelegenheitskauf, noch aus der Inflation, dann ein Rauchzimmerchen, entzückende Kissen, behsch, hauptsächlich – und ein Parfum! Sie hat mir auch gleich ne Quelle für Parfums gesagt, ich wer hingehn und meiner Frau ein Fläschchen besorgen... Na und wies dann so weit war, wah se sehr vernünftig, hat sich gar nicht gesträubt, ach, wissen Se, das kann ich nicht leiden, diese Geschichten, man ist doch schließlich kein grüner Junge mehr, aber sie war wirklich Klasse...! Sie ging raus, und dann kam sie zurück im Pyjama, violett mit unten rosa abgesetzt – famos, eine famose Person! Wissen Sie, mir ist ganz anders geworden, ich hab sie so genommen und hab gesagt: ... Sitzen Sie vielleicht auf dem Brief? Nein? Na, und dann hat sie mir ihr Schlafzimmer gezeigt. Ein riesiges Bett, von hier bis da, eine englische Kommode, 'n sehr schöner Teppich und Fenstervorhänge, Filets, Handarbeit, ich hab sie mir genau angesehn, nachher. Nebenan war gleich das Badezimmer. Na, die Frau – Ihnen gesagt! Grinsen Se nich so, Sie oller Heuchler! Sie hätten auch nicht nein gesagt, wenn sie ja gesagt hätte. Und, wissen Sie, Regierer, ganz unter uns: ich bin noch gar nicht so alt, wie ich immer gedacht habe... Ich habe nachher mit meinem Hausarzt gesprochen, der war sehr vernünftig, er hat mich bei der Gelegenheit untersucht, nein, das nicht, ausgeschlossen, sie ist doch ihrem Freund treu – er hat einen sehr guten Befund festgestellt. Nein, öfter. Das glauben Sie nicht? Lieber Freund, ich habs auch nicht geglaubt. Aber es war so. Morgens hat sie mir Kaffee gemacht, haben wir Kaffee zusammen getrunken, nein, unser Mädchen ist nicht da, sonst hätte ichs ja gar nicht machen können... Wollt sie nicht nehmen. Nichts zu machen. Ich hab ihr angeboten, zweimal, dreimal – nichts zu machen. Ich wollt ihr erst was schicken, dann dacht ich: Ach... Wirklich: ne famose Frau. Der Brief ist weg. Ja, ich komm gleich mit. Und wissen Se, was Kraft gemacht hat? Er hats natürlich gleich gewußt, weiß Gott, woher – sie hat ihm nichts gesagt, ausgeschlossen –! So, hat er gesagt, aber fünfzehn Prozent kriegen Sie diesmal nicht, Wendriner. Eigentlich müßt ich Ihnen noch was abziehn, für Platzmiete. Ein Hund. Aber deuten Sie nichts zu Hause an, ich will mein Haus rein halten. Ich hab meiner Frau das Kostüm gekauft und eine Flasche Parfum, sie kriegt auch ne Bonbonniere... Was heißt das? Sie hat sich am Strand erholt. Ich hab mich hier erholt. Am meisten hab ich mich über mich selbst gefreut. Da ist der Brief. Nein! Ich will mich doch da nicht attaschieren. Vielleicht später mal. 'n Augenblick! Nur noch die Post. So.

Lieber Freund! Wenn Sie jeden Abend Fußbäder nehmen müssen, wollen Sie auch mal brausen –!»

«Mit dir – mit dir – möcht ich mal sonntags angeln gehn –
Yes, Sir, that's my baby!
Mit dir – mit dir – da denk ich mir das wunderschön! –
I wonder, where my baby is to night –»
Junge Rechtsanwälte biegen sich im Boston –
dies Mädchen ist nicht von hier; die ist aus dem Osten!
Kleine Modezeichner schlenkern viel zu viel mit die Beine –
ein dubioser Kerl tanzt im Rund seinen Charleston alleine.
Der Saal kocht in Farben, Musik, Lärm, Staub und Gebraus –
die Frauen schwimmen im Tanzmeer, das spült sie aus den Logen heraus –
In dreißig Sälen dieselben schwarzen Jüdinnen, in Silber eingewickelt wie die Zigarren, beturbant; dieselben Melodien…
Heute nacht tanzen sechzigtausend Menschen in Berlin.

«Wo
sind deine Haare –
What did I kiss that girl,
du mußt nach Berlin,
Barcelona – Parlez-vous français?»
In allen Ateliers näseln die Grammophone;
weinrot stehn die Lampions in der grauen Luft – die Frau ist gar nicht so ohne –
Kein Licht machen! Treten Sie nicht auf die Paare!
Wo sind deine Haare –?
August…
Jetzt sinkt das Fest sachte zu Boden wie ein müdes Blatt,
Gehst du schon? Wohl dem, der jetzt eine bunte kleine Wohnung hat.

In allen nächtlichen Hauswürfeln dieselben Neckrufe,
Gelächter, ratschenden Nadeln, Seufzer, feinen
Melancholien.
Heute nacht tanzen sechzigtausend Menschen in Berlin.

Sachliche Liebe, die du mit ohne Seele blühst;
berliner Knabe, der du dich kaum noch bemühst!
Das Wo ist meistens schwieriger als das Ob –
Aphrodite mit dem berliner Kopp!
Aphrodite, schaumgeborne, laß mal sehn,
wie sie alle, alle mit dir angeln gehn!
«Hallo? Wie is Ihn denn gestern bekomm? Gut? ja?
Ausgeschlafen?
Hach! Daran kann ich mich gahnich erinnern. Nein. Der hat
doch Sonja das Chinesenkostüm geliehn...!»

Als wär nie nichts gewesen
telefonieren dreißigtausend Paare in Berlin.

«Daß die Leistungsfähigkeit der Kühe unter diesen Umständen sehr gering war», stand in dem schönen Führer durch Dänemark, den man mir freundlicherweise im Außenministerium gegeben hatte, «ist selbstredend. Die durchschnittliche Milchleistung pro Kuh –» Gut. Wovon aber gar nichts in diesem Buche zu lesen war, das waren die Frauen des Landes.

Nordische Frauen –! Was habt ihr doch für einen falschen Ruf! Da heißt es von der Französin, sie sei locker, kokett, der Liebe ergeben, und was weiß ich. Und ist doch das treueste Heimchen am Herd, das sich denken läßt – es gibt keinen Frauenberuf in Frankreich – keinen! oh, ihr nordischen Schwestern – in dem das nicht zu spüren wäre. Ihr hingegen... Das ist ein weites Feld.

Guten Tag, Kopenhagen! Wohlschmeckend schritten die jungen Damen dahin und guckten Esperanto und sprachen ihre Sprache. Wenn die Dänen das, was sie zu sagen haben, auf Schilder gedruckt dem Fremdling entgegenhielten, ließe es sich allenfalls erraten – so viel Plattdeutsch und Englisch verstehen wir auch bei Regenwetter. Zum Sprechen eignet sich die dänische Sprache weniger – sie zerschmilzt den Hiesigen auf der Zunge und eilt leichtsilbig dahin, und alles ist ein einziges Wort, und es ist sehr schwer. Und wenn man also im ‹Fiske-Restaurant› gar nichts sagt, bekommt man zu viel zu essen, und wenn man etwas sagt, erstickt man in kalten und warmen Speisen; und ich glaube: wenn einer richtig Dänisch kann und etwas bestellt, dann bekommt er den Wirt in Gelee. Gott segne die dänischen Kalorien.

Ja, die Frauen... Ich war den ganzen Tag herumgelaufen und freute mich auf den Abend. Für den Abend hatte ich mir etwas ausgedacht. Da stand an einem Tanzlokal – soviel konnte ich lesen –, daß da also getanzt werden würde, und daß da zwei Orchester spielten, und dann:

INGEN PAUSER

‹Ingen› – das war wohl die dänische Form für ‹Inge› –, welch ein schöner Name! Ingen Pauser... Wie mochte sie aussehen? Lang, weiß, schlank, blond – mit einer Schnuppernase und fest im Fleisch. Ja, das wollten wir also wohl einmal sehen.

Inzwischen war Lange Linie zu besichtigen und im Hafen herumzufahren, und es waren alle jene netten Überflüssigkeiten zu exekutieren, die im Führer stehen. Nach der vierten begann ich zu schwänzen... es war viel amüsanter Klatsch zu hören und den Nebel, in dem die dänischen Berühmtheiten für uns dahinschreiten, sich zerteilen zu sehen – und siehe da: da hatten sie hochgeschnürte kleine Provinzbusen und lispelten und schielten und waren dreimal geschieden, und ein Glitzerwerk von Ironiegeflitter ging über die Armen dahin, vor denen ich zu Hause, vor dem Bücherschrank, so eine große Hochachtung gehabt hatte. Richtig – Inge!

Ich würde nach den ersten Formalitäten ‹Inge› sagen - ‹Ingen› das ist nichts. Wenn sie einen Funken Nettigkeit im Leibe hat, besitzt sie eine Tante auf Jütland. Wir wollen nach Jütland fahren – in Kopenhagen ist sie vielleicht zu bekannt. In Jütland soll eine kleine Stadt dastehen mit einem Backsteinkirchturm und abendlich erdunkelnden Bäumen auf dem Marktplatz... Vor dem Schlafengehen spazieren wir ein bißchen durch die Sträßchen und Straßen und dann einen Feldweg entlang, und Inge erzählt von ihrer Schwester, die in Amerika lebt, und von einer Reise nach London – dann blinzelt der erste Stern herunter, und dann sagen wir gar nichts mehr...

Ja, sie kann Deutsch. Natürlich kann sie Deutsch. Sie spricht es auf diese entzückende Art, in der es hier viele Leute sprechen: lehrreich und bezaubernd falsch. «Soll ich das Essen heißen?» fragen sie, und – warum soll man das eigentlich nicht sagen? Wenn es ‹erwärmen› gibt – warum soll es nicht ‹heißen› geben? Und sie sagt mir: «Kopenhagen ist selbstfroh», was wohl so etwas wie ‹mit sich zufrieden› bedeutet – und es tut den Ohren und allen Sinnen wohl, Deutsch auf eine so neue und so überraschende Art zu hören. Es ist, wie wenn jemand die Sprache neu zu schaffen unternähme... Schmeckt ihr Kuß salzig? Das werden wir ja sehen. Das werden wir ja alles sehen –

Das Gold auf dem Rathaus erglänzt im letzten Sonnenlicht.

Aus den Schaufenstern der Kinos blicken geschmalzte Fotografien auf die Straßen, und die Gesichter der Stars sehen süß und fett aus wie die dänischen Kuchen, und vor dem Tivoli steht ein Mann und singt ein Lied, das ich schon einmal gehört haben muß ... ‹*B. Z.*› sagt er –

Und im Tivoli hängt in den Bäumen die Sehnsucht aller dänischen Matrosen, die gerade auf hoher See sind, ‹Tivoli› denken sie, wenn sie in die Wanten klettern, und ‹Tivoli› in den Kohlenbunkern und ‹Tivoli› auf dem Broadway ... Und hoch oben, gegen den hohen blauen Abendhimmel, steht ein deutscher Artist im weißen Trikot, bereit, zu einem Looping abzuspringen: «Achtung!» ruft er – und da lachen Leute vor einem Freilicht-Kino, und da kreischen sie auf der Rutschbahn ... Und ich denke an Inge. Ingen Pauser –

Und bei Vivel wedeln die Kellner ungeduldig mit den Servietten, und wenn jetzt der Oberkellner mit dem Finger winkt, dann ergießt sich aus dem doppeltgeöffneten Tor eine ganze Heringsflottille hervor, man möchte ein Hering sein, nur um zu wissen, wie ein dänischer Magen von innen aussieht, es ist nicht vorstellbar.

Jetzt aber ist es neun Uhr, und nun will ich zu Inge gehen. Ja, und wenn wir in der jütländischen Stadt angekommen sind, dann soll aus einem geöffneten Fenster der kleine Walzer ‹*Allways*› herausklingen, das denke ich mir besonders hübsch, und dabei wollen wir einschlafen. – – –

Schade, ‹Ingen Pauser› ist kein Name. Es heißt ‹Keine Pause› – und pausenlos spielen die beiden Orchester in dem Tanzlokalchen, es ist gar keine Inge da, und auf leicht nach innen gesetzten Füßen stiefle ich ins Freie, sanft begossen vom Schein des Mondes und einer umsonst geliebten Liebe.

DER PRIEM

Alle Rechte vorbehalten

Unter vielem Spucken zu singen

Es haben die Matrosen
wohl auf dem blauen Meer
nicht nur die weiten Hosen –
sie haben noch viel mehr.
Denn gibt es nichts zu rauchen,
weißt du, was sie da brauchen
bei Nacht und auch bei Tag?
Den Kautabak – den Kautabak –
ein kleines Stückchen Kautabak
von der Firma Eckenbrecht
aus Kiel.

Es heulen die Sirenen.
Die Braut in Tränen schwimmt.
Es schwimmt die Braut in Tränen,
wenn der Seemann Abschied nimmt.
Sie drücken sich die Hände;
dann gibt sie ihm am Ende
verschämt ein kleines Pack
mit Kautabak – mit Kautabak –
mit nem halben Pfündchen Kautabak
von der Firma Eckenbrecht
aus Kiel.

Da hinten liegt sein Kutter,
da hinten liegt sein Kahn.
Sie sagt, sie fühlt sich Mutter,
er sieht sie blöde an.

Er läßt sich von ihr kosen,
die Hände in den Hosen,
dann nimmt er einen Schlag
vom Kautabak – vom Kautabak –
ein kleines Stückchen Kautabak
von der Firma Eckenbrecht
aus Kiel.

Das Schiff fährt in den Hafen
wohl in Batavia.
Mit den Mädchen muß man schlafen,
wozu sind sie sonst da!
Die er geliebkost hatte,
liegt nackt auf einer Matte;
er holt aus seinem Pack
den Kautabak – den Kautabak –
ein kleines Stückchen Kautabak
von der Firma Eckenbrecht
aus Kiel.

Das Schiff tät nicht versaufen,
in Hamburg legt es an.
Marie mußt sich verkaufen
nachts auf der Reeperbahn.
Nun spürt der arme Junge
grad unter seiner Zunge
den bitteren Geschmack
vom Kautabak – vom Kautabak –
vom kleinen Stückchen Kautabak
von der Firma Eckenbrecht
aus Kiel.

Wie dem Seemann mit den Frauen,
uns gehts genau wie ihm.
Das Leben muß man kauen,
das Dasein ist ein Priem.
    Es schmeckt dem Knecht und Ritter
    mal süß und auch mal bitter...
    Spuck ihn aus, wer ihn nicht mag!
        Den Kautabak – den Kautabak –
        das kleine Stückchen Kautabak
        von der Firma Eckenbrecht
            aus Kiel.

Oh Frau!
Lerne du das Flugzeug steuern,
lerne Vollmatrosen heuern,
lenke nur ein Viergespann
wie ein Mann.

Männer werden immer kleiner,
unerreichbar ist nichts mehr –:
Liebe Frau! Es fliegt dir einer
immer hinterher.

Rechne du Gehaltstabellen,
dirigiere du Kapellen,
weil die Frau ja alles kann
wie ein Mann.

Tu das alles. Doch ein Kleiner
folgt dir über Land und Meer.
Und es fliegt dir immer einer
immer hinterher.

Krieche in die Bergwerksstollen,
flieh die heißen Liebestollen;
du bleibst noch im Himmelsblau
eine Frau.

Noch das stärkste Frauenzimmer
hats in dieser Sache schwer...
Denn es folgt ihr immer, immer,
immer, immer, immer, immer
einer hinterher.

Für achtstimmigen Männerchor

Wenn die Igel in der Abendstunde
still nach ihren Mäusen gehn,
hing auch ich verzückt an deinem Munde,
und es war um mich geschehn –
Anna-Luise –!

Dein Papa ist kühn und Geometer,
er hat zwei Kanarienvögelein;
auf den Sonnabend aber geht er
gern zum Pilsner in'n Gesangverein –
Anna-Luise –!

Sagt' ich: «Wirst die meine du in Bälde?»,
blicktest du voll süßer Träumerei
auf das grüne Vandervelde,
und du dachtest dir dein Teil dabei,
Anna-Luise –!

Und du gabst dich mir im Unterholze
einmal hin und einmal her,
und du fragtest mich mit deutschem Stolze,
ob ich auch im Krieg gewesen wär...
Anna-Luise –!

Ach, ich habe dich ja so belogen!
Hab gesagt, mir wär ein Kreuz von Eisen wert,
als Gefreiter wär ich ausgezogen,
und als Hauptmann wär ich heimgekehrt –
Anna-Luise –!

Als wir standen bei der Eberesche,
wo der Kronprinz einst gepflanzet hat,
raschelte ganz leise deine Wäsche,
und du strichst dir deine Röcke glatt,
          Anna-Luise –!

Möchtest nie wo andershin du strichen!
Siehst du dort die ersten Sterne gehn?
Habe Dank für alle unvergesserlichen
Stunden und auf Wiedersehn!
          Anna-Luise –!

Denn der schönste Platz, der hier auf Erden mein,
das ist Heidelberg in Wien am Rhein,
          Seemannslos.
Keine, die wie du die Flöte bliese...!
Lebe wohl! Leb wohl.
          Anna-Luise –!

NUR

Dies singt eine Dame
im Dreivierteltakt

Manchmal auf Bällen und Festen
tritt in den Saal ein freundlicher Mann,
an Geist und Kultur von den Besten...
und macht sich an die Frauen heran.
Doch schon nach wenigen Minuten
ist alles zersprungen wie Glas –
Von Geist keine Spur,
nichts mehr von Kultur:
Nur – nur – das.

Berühmtheit ist ja kein Einwand
gegen Männer, die in den Filmen stehn.
Ich lüpfte neulich die Leinwand,
ich wollt mal einen näher sehn.
Ach, war das eine Enttäuschung!
Ich bekam einen kältenden Haß –
Von Herz keine Spur,
eine Karikatur...
Und
nur – nur – das.

Ich nahm den Tee und den Kuchen
in Berlin und Frohnau und mal hier und mal dort.
Nun, dacht ich, willst mal versuchen
eine Freundschaft mit einem Herrn vom Sport.
Der bricht das eigne Training –
auf wen ist denn heut noch Verlaß...?
Von Hirn keine Spur,
eine hübsche Figur –
aber sonst
nur – nur – das.

Wie kann man Frauen so verkennen?
Mein Gott, sie sind ja gar nicht so!
Gewiß, es will jede entbrennen...
aber doch nicht stets und irgendwo!
Auf Harfen kann jedermann klimpern,
es fragt sich nur: Wer spielt – und was...
Und spielt er dann nur
nach unsrer Natur –:
Dann gern
auch das.

KLEINES OPERETTENLIED

Mit ihm schlafen ja, aber keine Intimitäten

Sei nicht böse, wenn ich dich, du liebe Inge,
hier leis besinge –
hör mich mal an:
In dem weiten Reich der schwärmerischen Dinge
knüpft eine Schlinge
dir jeder Mann.

Doch die Nacht ist keineswegs des Werkes Krönung.
Sieh, erst nachher da beginnt das wahre Spiel;
denn das Schlimmste an der Liebe ist Gewöhnung...
ein Mal ist kein Mal, aber acht Mal sind sehr viel.
Laß die Liebe aus dem Spiel, wenn du liebst.
Weil du dir dabei zu viel
vergibst.
Höre nicht auf Schmeichelein!
Mußt du stets die Dumme sein?
Wenn du ehrlich bist, dann fällst du rein!
Das Geschäft ist faul: er nimmt, und du gibst...
Laß die Liebe aus dem Spiel, wenn du liebst!
Steht nach Küssen dir der Sinn,
na, dann geh nur ruhig hin –
Doch von Liebe, doch von Liebe steht nichts drin!

Und ich weiß, wie das mal wird, du liebe Inge,
wenn ich einst hinge
an deiner Brust:
Um die Augen hast du dunkelblaue Ringe,
doch ach! ich bringe
dich nicht zur Lust.

Warum kommts, daß wir uns so verlieren müssen?
Wer mehr liebt, der leidet noch und noch.
Und du siehst an mir vorbei, wenn wir uns küssen,
und du hast Furcht. Und liebst ja doch...

Laß die Liebe aus dem Spiel, wenn du liebst.
Weil du dir dabei zu viel
vergibst.
Erst schenkst du dein schönes Bein,
und du sagst: «Mehr solls nicht sein!»
Und das Herz, das folgt dann hinterdrein...
Und ich rate dir vergebens, wenn du gibst:
Laß die Liebe aus dem Spiel, wenn du liebst!

Frau und Mann sind niemals frei.
Stets ist ein Gefühl dabei.

Und die Dummen sind gewöhnlich alle zwei!

DER ANDRE MANN

Du lernst ihn in einer Gesellschaft kennen.
Er plaudert. Er ist zu dir nett.
Er kann dir alle Tenniscracks nennen.
Er sieht gut aus. Ohne Fett.
Er tanzt ausgezeichnet. Du siehst ihn dir an...
Dann tritt zu euch beiden dein Mann.

Und du vergleichst sie in deinem Gemüte.
Dein Mann kommt nicht gut dabei weg.
Wie er schon dasteht – du liebe Güte!
Und hinten am Hals der Speck!
Und du denkst bei dir so: «Eigentlich...
Der da wäre ein Mann für mich!»

Ach, gnädige Frau! Hör auf einen wahren
und guten alten Papa!
Hättst du den Neuen: in ein, zwei Jahren
ständest du ebenso da!
Dann kennst du seine Nuancen beim Kosen;
dann kennst du ihn in Unterhosen;
dann wird er satt in deinem Besitze;
dann kennst du alle seine Witze.
Dann siehst du ihn in Freude und Zorn,
von oben und unten, von hinten und vorn...
Glaub mir: wenn man uns näher kennt,
gibt sich das mit dem happy end.
Wir sind manchmal reizend, auf einer Feier...
und den Rest des Tages ganz wie Herr Meyer.
Beurteil uns nie nach den besten Stunden.

Und hast du einen Kerl gefunden,
mit dem man einigermaßen auskommen kann:
dann bleib bei dem eigenen Mann!

Eines Tags in Chemie schloß ich eine Wette
und ich raucht fröhlich die erste Cigarette.
Ach! Da wurde mir so weh und krank,
und da verschwand ich plötzlich stundenlang;
mir schien, ich platzt vor Nikotin,
ich hört im Bauch die Dämpfe ziehn!
Zum ersten Mal, zum ersten Mal,
da langts nicht her noch hin!
Mir war so schwül im Sinn!
Weil ich noch ein Anfänger bin!

Eines Nachts kam ich leis an die Mädchenstube,
und ich guckt, denn ich weiß: Anna ist kein Bube.
Ach! Das hab ich gar zu gern gemocht,
und da da hab ich an die Tür gepocht.
Die Maus, sie sagt: «Da wird was draus!»
Doch gleich warf sie mich wieder raus!
Zum ersten Mal, zum ersten Mal,
da langts nicht her noch hin!
Mir war so schwül im Sinn!
Weil ich noch ein Anfänger bin!

Neulich macht meine Lo eine kleine Reise,
und ich rutscht ebenso auf ein Nebengleise!
Ach! Da packte mich die große Scham,
weil ich vom Regen in die Traufe kam.
Und doch, die Liebe kriegt ein Loch,
an diesem Mädchen krank ich noch!
Zum ersten Mal, zum ersten Mal,
da langts nicht her noch hin!
Mir war so schwül im Sinn!
Weil ich noch ein Anfänger bin!

ERINNERUNG AUS DER ETAPPE

Lille ist eine wunderschöne Stadt!
Darin lag meine Kompanie!
Bis der Zapfenstreich geblasen hat,
ging ich in die Brasserie!
Darinnen saß ein blondes Kind,
grad so, wie unsre Mädeln sind,
ich fragte leis: «Wie heißen Sie?»
Sie sagt: «Marie.»
Doch da rief mich die Kompanie!

Unser Pisang hatte sein Quartier,
wo die großen Bäume stehn.
Und am schwarzen Abend waren wir
in den Schatten nicht zu sehn.
Ich faßt sie um den runden Leib,
sie lachte froh, das junge Weib...
Ich drückt sie und ich bat sie sacht
um eine Nacht...
Und sie sagt: «Ja, auf Wiedersehn!»

Der ihr Schatz war schon ein Praktikant
des Pariser Stadtgerichts.
Meine Grete saß im Pommernland,
und wir hatten nun beide nichts...
Ich fragt sie: «Hast du keine Reu?
Ich bin nicht treu! Du bist nicht treu!» –
Da sagt sie, und sie küßte mich:
«Jetzt lieb ich dich!» -
Und der Rest war uns einerlei!

Lille ist eine wunderschöne Stadt!
Manchmal denk, manchmal denk ich dran.
Wenn die Kleine mich gestreichelt hat,

fing sie leis zu singen an. –
Der Sternenhimmel spannte sich –
«Mon petit jou-jou»,
so nannt sie mich…
Und lieb ich auch mein Gretelein –
ich denke dein…
Einen Gruß, einen Gruß! übern Rhein!

Wenn ich so müd nach Hause komm,
zerredet und zerschrieben:
dann sitzt du da, so lieb und fromm.
Man muß, man muß dich lieben!
Die Nacht gleich einem Feste ist.
Ich weiß, daß du die Beste bist.
Und warum ist das? Nämlich:
Du bist so himmlisch dämlich.

Du hast es gut.
Du ahnst es nicht,
was Stalin jüngst gesprochen;
weißt nichts vom leipziger Reichsgericht
und nichts von Kunstepochen.
Du hältst einen Puff für ein Hotel
und Bronnen für einen lauteren Quell...
Ich liebe dich. Weil... nämlich...
Du bist so himmlisch dämlich!

Mein blondes Glück! Von Zeit zu Zeit
tu ich ein bißchen fremd gehn.
Die andern Frauen sind so gescheit
und lassen das noch im Hemd sehn.
Dann kehr ich reuig zu dir zurück
und genieße tief atmend das reine Glück...
Dumm liebt zweimal.
Nämlich:
Du bist so himmlisch dämlich –!

Reicht mir den Kranz, reicht mir den Myrtenschleier!
Der Unschuld grünes Kränzlein tragt herbei!
So schick ich Clairen an Direktor Meyer – –
(Mitgift anbei).

Bedenk: Du schreitest nun ins wilde Leben!
«Zum ersten Mal» – ein schwerer Schritt, mein Kind!
Was früher war, Gott, das vergißt man eben...
und er –
ist blind.

Sein Tastsinn sei ein wenig unentwickelt,
und tobt er brüllend wie ein brünstiger Leu:
dann glänzt die liebe Unschuld frisch vernickelt
so gut wie neu...

So zeuch denn hin, du liebe Maculata!
Zart überhaucht von bräutlich rosa Glück...
Ich hätt gelacht? Todernst. Wie eine Fata
Morgana verschwindest du – –
ich grüße leicht zurück.

NACHTGESPRÄCH

Er. Sie. Eine Nachttischlampe und das übrige.

SIE: «Hast du das gelesen? Du? Hier in der Zeitung? In Amerika hat einer vierzehn Tage auf dem Baum gesessen? Du? Und wie er gehört hat, daß ein anderer schon dreiundzwanzig Tage oben gesessen hat, da ist er vor Schreck runtergefallen? Hast du das gelesen?»
ER: «Immer liest sie einem die ganze Zeitung vor! Herrgott! Stör mich doch nicht immer!»
SIE: «Alter Muffel. Denn nicht.»
(Pause)
SIE: «Steht nichts drin, in der Zeitung. Gib mal das Buch rüber! Hast du Anna gesagt, daß ich morgen auch noch zu Tisch da bleibe?»
ER: «Ja.»
(Pause)
SIE: «Er sagt, Eifersucht ist gut!»
ER: «Wer sagt das?»
– «Hier, der in seinem Buch. Na, ist doch so!»
– «Willst du mir jetzt vielleicht auch noch das ganze Buch... wieso ist Eifersucht gut?»
– «Das verstehst du ja doch nicht. Diese Engländer sind schon richtig. Der Huxley ist überhaupt ein wunderbarer Kerl!»
– «Mmm... Heirat ihn doch!»
– «Was? Ich heirate überhaupt nicht. Mensch, noch mal heiraten –! Nä.»
– «Na, wieso? Zum Beispiel einen berühmten Dichter... oder... heirat doch einen Sänger! Sänger ist immer gut. Eifersucht ist immer gut. Na, du heiratst noch mal!»
– «Ich heirat nicht noch mal!»
– «Hör mal zu... Leg mal das Buch weg – hör doch mal zu! Also... würdest du auch nicht reich heiraten?»
– «Reich? Hm. Sehr reich, vielleicht.»
– «Siehste. Ja... du brauchst Geld. Das reine Dadaistenfaß. Also du heiratest ganz reich, und wenn ich nichts mehr zu

essen habe, dann klopf ich hinten bei eurer Villa an, an der Lieferantentür natürlich, und dann schickst du mir Suppe raus!»
– «Ich schick dir sogar Suppe und Fleisch raus. Und Kompott. Wen soll ich denn heiraten?»
– «Ja... nu... einen Generaldirektor! Ich schlage vor: einen Generaldirektor. Nicht mehr ganz jung, aber noch durchaus nicht alt. Der heißt... Ziebig heißt der!»
– «Wie heißt der?»
– «Ziebig. Generaldirektor Hans Ziebig. Ich hör ihn ordentlich am Telefon – kurz, frech und richtig: Hier Ziebig! – Guten Abend, Frau Ziebig!»
– «Nimm mal dein Bein weg. Du, der müßte aber schon sehr viel Geld verdienen!»
– «Tut er auch. Ihr wohnt aber nicht in Berlin; die ganz Soliden wohnen nicht in Berlin. Ihr wohnt in... Magdeburg.»
– «Allmächtiger...!»
– «Ja. Und da habt ihr eine wunderbare Villa, elf Zimmer, sehr viel Nebengelaß, zwei Wagen, einen bezahlt das Geschäft, mit dem machst du natürlich immer die Überlandtouren, damit eurer nicht so abgenutzt wird! Geizkragen!»
– «Das find ich auch sehr richtig. Unser guter Wagen – seh ich gar nicht ein! Haben wir Kinder?»
– «Nicht gleich. Erst habt ihr keine Kinder. Und nett ist der –! Dein Ziebig! Kommt immer abends rein und sagt: Na, Puppelchen, wie gehts dir denn? Und ich hab dir auch was mitgebracht!»
– «Siehste – das ist ein netter Mann! Bringt einem zum Weekend immer Parfum mit oder so! Nimm dir mal ein Beispiel dran!»
– «Und ihr gebt feine garden-parties und lauter so vornehme Sachen! Ihr habt auch eine Bibliothek – Ziebig liest aber meist Technisches. Du liest meine Romane.»
– «Deine Schmutzromane kommen mir nicht in mein hochherrschaftliches Haus! Und den Ziebig zieh ich mir! Auf seine großen Reisen muß er mich mitnehmen – sicher ist sicher.»

– «Warum?»
– «Na, ihr seid doch alle gleich; ihr laßt doch keine aus.»
– «Bist du ihm denn treu?»
– «Und im Salon haben wir einen wunderbaren Aubusson oder wie das Ding heißt. Und ein Grammophon, Junge – so hoch wie ein Konfirmand! Sag *ich* dir. Und eine Voliere... darauf lege ich den allergrößten Wert; ohne Voliere wird nicht geheiratet!»
– «Bist du ihm denn treu?»
– «Ja. Ja. Das heißt...» – «Das heißt was?»
– «Ja, ich bin ihm treu. Das heißt... Na, soll ich ihm vielleicht die ganze Zeit treu sein?»
– «Ich fürchte, wie die Engländer sagen, ich fürchte: er wird es verlangen.»
– «Gott, weißt du, eigentlich bin ich ihm ja auch treu! Nur... wir haben doch einen Chauffeur, nicht? Also wir haben einen großen, blonden Chauffeur; der war früher Rennfahrer oder so. Sieht gut aus – ganz schlank und hart und überhaupt großartig.»
– «Sage mal... du willst ihn doch nicht etwa mit dem Chauffeur betrügen?»
– «Warum denn nicht?»
– «Na, hör mal: das finde ich aber unglaublich! Nein, also ernsthaft – das finde ich unerhört! Du betrügst den eigenen Mann mit dem eigenen Chauffeur? Du, das ist gemein!»
– «Wieso?»
– «Also da sitzt Ziebig hinten im Fond, mit dir, im Wagen – und vorn sitzt der Chauffeur, und womöglich heißt er auch Hans, damit es kein Kuddelmuddel gibt – und der grinst sich dann einen!»
– «Der grinst gar nicht; dazu ist der Mann aus viel zu feiner Kinderstube. Der Gent genießt und schweigt.»
– «Und zahlt nicht. Also ich finde das doll!»
– «Du findest das doll?»
– «Ich finde das doll. Du, das ist gradezu monströs! Pfui Deibel. Aber so sind die Frauen. Den Schmuuuutz der Gasse im eigenen Haus – also, Lydia, das ist hundsordinär!»

– «Wenn du moralisch sein willst, dann zieh dir 'n andres Pyjama an – die Farbe paßt nicht. Ich werde doch wohl noch meinen Mann mit meinem Chauffeur betrügen dürfen!»
– «Nein! Das wirst du nicht dürfen! Ganz Magdeburg wird ja darüber sprechen! Das kann man doch nicht machen!»
– «Ganz Magdeburg kann mir gestohlen bleiben. Ich, die Frau Generaldirektor Hans Ziebig –»
– «Du heißt doch nicht Hans!»
– «Ochse. Bei uns feinen Leuten ist das so, daß die Frau mit dem vollen Namen des Mannes zeichnet. Ich steh auch so in den Ballberichten: Frau Generaldirektor Hans Ziebig, in einem wundervollen weißen Crepe-Georgette...»
– «Und mit dem Chauffeur.»
– «Halt die Luft an, Peter! Chauffeur... Wunderbar! Merkt kein Mensch!»
– «Du wirst das nicht tun!»
– «Ich werde das doch tun!»
– «Du wirst das nicht tun! Ich verbiete es dir!»
– «Du hast mir gar nichts zu verbieten! Oller Philister! Spielt sich hier auf den Moralischen aus! Du hasts nötig!»
– «Ich habe jedenfalls noch niemand mit einem Chauffeur betrogen!»
– «Und ich tue es doch!»
– «Und du tust es nicht!»
– «Und ich tue es doch!»
– «Nein!»
– «Ja!»
– «Nein!» – «Ja!» – «Nein!» – «Ja!» – «Nein!»
(Es klopft stürmisch an die Wand; das ist der Nachbar.)
– «Was war das?»
– «Der von nebenan. Diese neuen Häuser sind so dünn gebaut... man hört jedes Wort. Außerdem ist es halb eins. Der Schlaf am Vormittag ist am gesündesten. Jetzt schlaf. Betrügst du ihn?»
– «Ja.»
(Sie wenden sich die Rücken zu. Und dann hört man nur noch zwei Serien tiefer Atemzüge.)

«Junge energische Dame sucht Vertrauensstellung oder leeres, sonniges Zimmer mit separatem Eingang.»

«Freie Bahn dem Seitensprung.»

Thema mit Vaginationen

Hüte dich – alle Männer sind ein Schuft

Er hängt das Schwänzchen nach dem Winde

Sie ist ein Aufsehblümchen

Sie ist Fetischistin: sie kann nur lieben, wenn 1000 M-Schein auf dem Tisch liegt.

Sie ist nur mit Karlchen treu.

> wenn beim Lieben oder Kosen
> dich mal tut ein Schnackler stoßen,
> frage nicht, wer denkt an mich?
> Sondern wisse: das bin ich!

Neben der Geliebten: Wenn wir mit der Verkäuferin etwas anfingen?

...daß man eine Frau nie ausfüllen kann, nie. Es bleibt immer noch ein kleiner Rest.

Die gesprochene Liebesnacht auf der heißen Wiese.

Die Frau allein – das ist wie die Ware im Schaufenster.

Die Saxophone, die chirurgischen Instrumente der Lust.

Der saugende Blick der Frau: – also das, wovon und wodurch ich lebe.

– «Liebst du mich?»
– «Ja. Sonst wäre ich viel netter zu Dir.»

Was täte ich, wenn sie (die andre) tot hinstürzte? Ich würde sie küssen.

Das Ticken der beiden Uhren auf dem Nachttisch – Mann – Frau.

Wenn mich nicht liebt – dann lesbisch! (der Mann)

Alte Liebe – wie ein versunkenes Schiff. Aber heben Sie das mal!

Der Augenaufschlag des Kindes erinnert an die Frau – Melancholie des Mannes.

sie zündete ihr Lächeln an, und es lächelte.

Sie lag ihrem Geschlechtstrieb ob, wie eine, die von der Kante des Küchentischs rasch sein Abendbrot verzehrt.

Meine eigne Frau, die mich auch nicht gern hat

Die Vagina ist nie richtig temperiert. (Hasenclever)

eine schöne dicke Frau ... sowas zum Festhalten, wenns donnert. (Schwedischer Bauernausdruck)

Wenn der Geliebte zu «der» geworden ist.

Die katholische Schwester: «Ich kann das nur lesen, wenn Sie mir garantieren, daß nur *ein* Mann darin vorkommt!»

(von Frauen) rein ornithologisch

so viel: mit einem zu schlafen
so wenig: mit einem zu schlafen

ein Mädchen, dessen Tugend hermetisch offen stand.

Das internationale Turnier in Flagranti.

Die erste Liebe: eine Javanerin – seitdem liest er noch heute die javanischen Zuckerkurse.

Die Damen haben einen Zungenfehler: sie lesbeln.

er ließ seine Geliebte aufbocken.

Der Neger treibt einen Kult, wenn er vögelt. Er trompetete dabei wie ein Elefant. Er kommt von weit her. Es war wie ein Gewitter. (dies als Schlußsatz)

Man nimmt sich Männer doch zur Freude.

Man sah auf den ersten Blick, warum er sie geheiratet hatte, was ihn an ihr bezaubert hatte – und man sah auf den zweiten, daß er sich geirrt hatte.

Die Frau: «Ich bin gekränkt, wenn er mich betrügt – das kann er auch bei mir haben.»

Die unsympathische Frau (Alice), die sich auf einmal völlig verändert, wenn sie von ihrem Geliebten spricht – leicht, lieb, zur liebenden Frau geworden.

Das gebrannte Kind: «Mit einem Italiener soll man nichts anfangen – höchstens einen Gemüseladen.»

Die Frau als Klagemauer.

Kinder kriegen? Das ist ja wie selbstgemachte Hüte.

«Ich will keinen anderen – ich komme ja kaum mit dir aus!»

Die Frau, die weint, weil der Mann sie nachts zum Vögeln aufweckt. Scheidungsgrund –! «Er achtet mich nicht mehr!» gedemütigt. «Er respektiert nicht mal meinen Schlaf!»

Die gute Frau möchte sich in der Liebe so geben, wie sie ist – sie will sich nicht verstellen – sie will vor dem Mann endlich einmal ganz sein. (Und sich doch verstellen.)

Schluß eines (stummen) Liebesdialogs – kein Wort.
Dann:
– «Ja?»
– «Ja.»

Die Köchin in Kapstadt: vögelt in der Küche. Nach jeder Nummer wendet sie die marinierten Heringe um. (Erinnerung eines jungen Mannes.)

Frank Heller mit seiner Geliebten, die nachts Blinddarmschmerzen bekommt, statt den Arzt zu rufen, trägt er sie hin und her und *singt*.

Die Gemeinsamkeit der Erinnerungen – nur das! zählt.

es gibt nur eine echte Scham, die der Frau (des Mannes) mit dem anderen vor dem einen. *Der* soll den nicht sehen – es ist wie Blutschande.

Das Photoalbum der Frau, die man nicht bekommen kann. Autos, Ski, Blumenwiesen – der andre. «Also *so* muß man aussehen...» Dann wird sie fremd. Dann will er sie nicht mehr.

sie werden holzig ohne Mann.

Zwei Frauen. Sie waren nicht befreundet, denn sie haßten denselben Mann.

Sie züngelt... wenn sie lacht, bewegt sich ihre Nasenspitze.

der Mann auf ihrem Schoß: «Ich wollte einen Mann mit Haaren, jetzt hab ich einen mit Federn bekommen.»

(Von dem früher geliebten Mann): «Ich hätte mich für ihn zu Eierkuchen rollen lassen.»

(das häßliche Mädchen, mit Humor) – «Als mich Gott gemacht hat, war es schon dunkel, und er war auch schon müde.»

(Eifersüchtiger): Wenn er auch mit ihr schläft: so schön kann er es gar nicht, und so stark empfindet sie es auch nicht.

Sie hatte mit ihrem Mann und den monatlichen Konsultationen beim Frauenarzt ihr sexuelles Auskommen.

Ich hatte im Traum eine verlogene Liebeserklärung gemacht und schämte mich beim Aufwachen –.

Der Ullstein-Titel für den Anatomie-Atlas: «Die Frau als Baukasten.»

Der Soldat, der über den Zapfen wichst, nicht einzuschlafen wagt, und mit den Mädeln im Bett Karten spielt.

Frau vor einem Kompaß: «So schief ist Norden?»

QUELLENANGABE

Alle Texte dieser Auswahl sind der 10bändigen Werkausgabe Kurt Tucholsky: *Gesammelte Werke*, Rowohlt, Reinbek bei Hamburg 1975,
einschließlich der beiden Ergänzungsbände *Deutsches Tempo*, Rowohlt, Reinbek bei Hamburg 1985,
und *Republik wider Willen*, Rowohlt, Reinbek bei Hamburg 1989, entnommen,
bis auf folgende Texte:

Die Dorfschöne; Die Herren Männer; Mir ist heut so nach Tamerlan; Mir ist so mulmig um die Brust; Stoßseufzer einer Dame, in bewegter Nacht; Das Tauentzienmädel; Hawa-i; Zieh dich aus, Petronella!; Die Barfrau
aus: *Das Kurt Tucholsky Chanson Buch*, Rowohlt, Reinbek bei Hamburg 1983,

Für Mary; Eine Frage und keine Antwort; Bekehrung; Mit einem Schächtelchen; Der Tyrann
aus: Kurt Tucholsky: *Unser ungelebtes Leben. Briefe an Mary*, Rowohlt, Reinbek bei Hamburg 1982,

Sudelbuch-Notate
aus: Kurt Tucholsky: *Sudelbuch*, Rowohlt, Reinbek bei Hamburg 1993,

Entree mit einer alten Jungfer; Adagio con brio; Die Insel
aus: *Schall und Rauch*, Reprint, Buchverlag Der Morgen, Berlin 1985

INHALT